LES CHIENS ONT SOIF

NORMAND BAILLARGEON

LES CHIENS ONT SOIF

CRITIQUES ET PROPOSITIONS LIBERTAIRES

La collection « Instinct de liberté », dirigée par Marie-Eve Lamy et Sylvain Beaudet, propose des textes susceptibles d'approfondir la réflexion quant à l'avènement d'une société nouvelle, sensible aux principes libertaires.

Ouvrage initialement paru en 2001, en coédition avec Agone.

www.luxediteur.com

Dépôt légal : 2e trimestre 2010
Bibliothèque et Archives Canada
Bibliothèque et Archives nationales du Québec
ISBN 978-2-89596-108-6

Ouvrage publié avec le concours du Conseil des arts du Canada, du programme de crédit d'impôts du gouvernement du Québec et de la SODEC. Nous reconnaissons l'aide financière du gouvernement du Canada, offerte par l'entremise du Programme d'aide au développement de l'industrie de l'édition (PADIÉ), pour nos activités d'édition.

Pour Talou, évidemment

Ce livre réunit des textes qui sont, pour l'essentiel, liés à mes activités de militant. Mes remerciements s'adressent donc d'abord tout naturellement à ces militantes et militants que je côtoie depuis des années : leur activisme m'inspire et leur exemple m'a bien souvent ému.

AO! Espace de la parole, *Le Couac*, *Le Taon dans la cité* et la revue *Agone* ont publié les premières versions de certains de ces textes. Je remercie tous mes amis qui y travaillent ou qui y ont travaillé, et en particulier François Patenaude, Grégoire Bédard, Jean-Phillippe Pleau, Martin Poirier, Léo-Paul Lauzon, Luciano Benvenuto et Martin Petit. Ce dernier m'a aidé à choisir et à réunir les textes qui forment la base de ce livre : son aide m'a été précieuse.

Je remercie aussi, pour la grande qualité de leur travail éditorial, Jean-François Nadeau et Thierry Discepolo.

Je remercie enfin Michael Albert et Noam Chomsky : j'ai beaucoup appris d'eux, à la fois à leur contact – le plus souvent virtuel – à leur lecture et par leur exemple.

Être les esclaves de pédants,
quel destin pour l'humanité !

Michel Bakounine

À part peut-être certains secteurs de la physique, la plupart [des questions savantes] peuvent être exprimées à l'aide de mots très simples et dans des phrases très courtes. Mais si vous faites cela, vous ne devenez pas célèbre, vous n'obtenez pas d'emploi, les gens ne révèrent pas vos écrits. Il y a là un défi pour les intellectuels. Il s'agira de prendre ce qui est plutôt simple et de le faire passer pour très compliqué et très profond. Les intellectuels se parlent entre eux, et le reste du monde est supposé les admirer, les traiter avec respect. Mais traduisez en langage simple ce qu'ils disent et vous trouverez bien souvent soit rien du tout, soit bien des truismes, soit des absurdités.

Noam Chomsky

Invitation à la trahison. Sur les responsabilités des intellectuels

Ce livre repose sur un certain nombre de convictions que je pense raisonnables et légitimes et que je voudrais avouer d'emblée.

J'ai d'abord la conviction que le monde dans lequel je vis est intolérable, notamment parce qu'il est oppressif pour une majorité de mes semblables.

Je considère encore que ce monde – et ceci est crucial – est largement fondé sur le mensonge : il ne perdure et ses institutions dominantes ne se maintiennent que par la propagande, qui en est une condition nécessaire à défaut d'être suffisante.

Je considère enfin que les intellectuels et plus généralement tous ceux qui occupent des fonctions liées au monde des idées, des représentations, du savoir et de la connaissance jouent un rôle non négligeable dans le maintien des institutions dominantes et donc de l'oppression subie par trop de gens. Pour ma part, et avec toute la tradition libertaire, je considère que dans une société saine aucun privilège ne serait consenti aux intellectuels et, surtout, qu'il ne serait pas loisible à une élite de mobiliser l'information et de la traiter. Finalement, je me méfie donc aussi bien des experts (typiquement de droite), qui aspirent à servir les tyrannies privées ou l'État et nous chantent les louanges du marché et des institutions dominantes, que des intellectuels (typiquement léninistes) de gauche, qui nous chantent la nécessité d'un parti aux mains d'une élite éclairée.

Les propositions qui précèdent me semblent avoir tous les caractères de truismes et, pour l'essentiel, la conclusion qu'elles invitent à tirer sur la question de la responsabilité des intellectuels me paraît donc aller de soi.

Aux intellectuels sont consentis des loisirs et des privilèges si considérables qu'ils leur permettraient, s'ils le voulaient, de contribuer à ce que soit connue la vérité sur certaines questions d'une grande importance. C'est là une tâche sans doute modeste, mais très souvent nécessaire. On devrait donc attendre des intellectuels – et c'est un strict minimum – qu'ils s'efforcent de rechercher la vérité, qu'ils rendent compte de ce qu'ils ont compris de notre société et des institutions qui la définissent et, plus encore, qu'ils le fassent, pour les principaux concernés, en s'exprimant de manière à être entendus.

Je soutiens que c'est trop souvent le contraire qui se produit. Les intellectuels servent plus volontiers les pouvoirs qui oppressent qu'ils ne les dénoncent et, loin de la combattre, ils participent à la propagande des maîtres. Pire encore, il arrive qu'ils soient les premiers destructeurs et négateurs des outils de libération auxquels ils ont un accès privilégié et dont on pourrait penser qu'ils leur sont particulièrement chers : les faits, la raison, la vérité, la clarté, l'éducation, etc.

Au total, il arrive donc bien souvent que ce soit chez les intellectuels que fleurisse l'anti-intellectualisme le plus délirant, celui-là même dont ils accusent volontiers les gens ordinaires chez qui ils feraient bien de prendre des leçons – pour certains d'entre eux au moins – tant ils auraient à y apprendre.

Exprimé le plus succinctement possible, voilà ce que je souhaite avancer ici. Je suggère qu'on donne au mot « intellectuel » un sens non trivial et assez précis pour lui faire désigner un ensemble d'activités de coordination, de légitimation, de diffusion d'idées et de préparation des esprits accomplies par une classe spécialisée au sein de nos formations sociales. Je crois qu'on doit alors admettre que ces activités n'ont le plus souvent à peu près rien d'« intellectuelles », si l'on entend cette fois par ce mot ce qu'on y entend d'ordinaire, avec ses connotations les plus positives qui renvoient à des choses comme l'intelligence, la rationalité, l'objectivité, la recherche de la vérité, le désintéressement et ainsi de suite. Pour le dire plus simplement, je souhaiterais que mon lecteur puisse comprendre pourquoi, quand Arthur Schlesinger accuse Noam Chomsky de trahir la tradition intellectuelle dans ses écrits politiques, celui-ci puisse donner entièrement raison à celui-là, en précisant que, puisque la tradition intellectuelle est faite de servilité à l'endroit du pouvoir, il aurait honte de lui-même s'il ne la trahissait pas [1]. Bref, ce livre constitue une invitation à la trahison.

Je partirai d'un document non controversé : le rapport 1999 du Programme des Nations unies pour le développement (PNUD). Dans les pays en voie de développement, un enfant sur sept en âge de fréquenter l'école primaire ne la fréquente pas, 840 millions de personnes sont sous-alimentées, 1,3 milliard d'individus survivent avec des revenus de moins d'un dollar par

1. *The Guardian*, 23 novembre 1992, G2, p. 11, cité par Milan Rai, *Chomsky's Politics*, Londres, Verso, 1995, p. 150.

jour et n'ont pas accès à de l'eau propre. Ce rapport nous apprend ensuite que l'accentuation de ladite mondialisation économique produit des résultats inattendus – du moins pour qui prête crédit à la propagande en chantant sans cesse les vertus : c'est ainsi que pendant que les revenus par personne de plus de 80 pays sont inférieurs aujourd'hui à ce qu'ils étaient il y a 10 ans, l'écart entre les pays riches et les pays pauvres atteint désormais des « proportions grotesques », selon l'expression utilisée par les rapporteurs, qui n'ont pas souvent eu de tels écarts de langage. Les pays réunissant le cinquième le plus fortuné de la population mondiale disposaient ainsi, en 1960, de revenus par personne 30 fois supérieurs à ceux du cinquième le plus pauvre. Cette proportion était portée à 60 en 1990 et à 74 en 1995. La fortune des 200 êtres humains les plus riches équivalait en 1998 aux revenus du 41 % le plus pauvre de la population mondiale.

Les pays les plus riches (dont le mien) n'ont pas échappé à cette montée des inégalités et de l'exclusion. Les revenus des salariés stagnent ou déclinent, mais la richesse s'accroît pour se concentrer de plus en plus en un nombre restreint de mains ; le Canada, qui avait promis en 1989 d'éliminer la pauvreté chez les enfants avant l'an 2000, a désormais 463 000 enfants pauvres de plus que lorsque cette promesse fut faite. Un enfant sur cinq vit aujourd'hui dans la pauvreté. Les soupes populaires se sont monstrueusement multipliées depuis 10 ans. À Montréal, tant d'enfants mangent en fin de mois leur seul repas quotidien à la cantine scolaire (il est gratuit) que, s'en avisant, on a cru nécessaire de revoir le calendrier scolaire de l'année 2001 pour assurer que la semaine de relâche d'hiver ne coïncidera pas avec une fin de mois !

Comme chacun sait, ces transformations sociales, politiques et économiques majeures en cours depuis trois décennies sont désignées par le nom, à plus d'un titre bien peu adéquat, de « mondialisation de l'économie ». Ce mouvement peut être daté du début des années 1970, qui vit le démantèlement du modèle dit keynésien de l'économie. Conçu au sortir de la Seconde Guerre mondiale à Bretton Woods, ce modèle reposait sur une forte intervention de l'État dans l'économie, une sévère restriction apportée à la circulation des capitaux et des efforts pour accroître le libre-échange. Son remplacement par les dogmes néolibéraux produisit d'abord une libre circulation des capitaux de plus en plus dérégulée. Puis ce fut l'attaque du modèle social issu des « Trente glorieuses » keynésiennes. La célèbre Commission trilatérale propose alors une analyse particulièrement claire de la situation des démocraties occidentales : celles-ci souffriraient d'un « surcroît de démocratie ». Trop de gens se mêlant de ce qui les regarde, nos sociétés sont devenues ingérables... Certains conclurent alors qu'il ne s'agit plus de permettre mais d'interdire la participation du public aux affaires qui le concernent – suivant en cela une mentalité qu'Adam Smith dénonçait déjà dans *La richesse des nations*[1]. Ainsi fut désormais recommandé le retrait de l'État pour que règne partout le supposé libre jeu du marché, ce mécanisme prétendu optimal seulement s'il n'est pas entravé. S'ensuivit une série de phénomènes bien connus : montée d'une économie à dominante spéculative, démantèlement des programmes sociaux, promotion de la concurrence étendue à tous les moments de notre quotidien... Bref, une idéologie par laquelle on dissimule un modèle d'économie réglementée pour assurer la socialisation des risques et des coûts et la privatisation des profits[2].

1. Dans ce texte si mal lu de nos jours, le père du libéralisme, Adam Smith, clame son dégoût pour ce qu'il nomme « l'infâme maxime de ces maîtres : tout pour nous et rien pour tous les autres » ; ces « maîtres » qu'il juge « incapables de se réunir sans comploter contre le reste de la société ».

2. Pour une démonstration de ce fonctionnement normal de l'économie capitaliste, lire notamment Robin Hahnel, *La panique aux commandes. Tout ce que vous devez savoir sur la mondialisation économique*, Marseille, Agone, 2001.

Une propagande intensive transforme les programmes sociaux et les dépenses publiques en péchés économiques graves, causes de tous nos maux. Mais, par un coup de baguette magique, ces subventions qui génèrent chez les pauvres de déplorables dépendances n'ont pas cet effet quand elles vont – la pratique est courante – dans la poche des maîtres et de leurs entreprises.

Cette nouvelle donne, il faut bien le dire, constitue une véritable attaque contre la démocratie et contre l'idée même de participation du public dans les affaires qui le concernent. Les acteurs majeurs de cet assaut sont notamment le monde des affaires et les institutions économiques transnationales ou étatiques qui le servent. Les entreprises, qui sont désormais dotées de droits, exigent, fusionnent, démantèlent, délocalisent, « externalisent [1] » et ainsi de suite, en toute impunité. « Le marché le veut, le marché l'exige » est devenue la seule réponse à toute objection. « Ça crée de l'emploi » est l'argument massue.

Parmi les 100 premières économies mondiales, 51 ne sont pas des États mais des entreprises. Celles-ci forment si bien l'institution

1. Le mot technique « externaliser » dissimule le fait de faire porter à la collectivité le coût de certains aspects des activités industrielles ou commerciales : l'entreprise pollue, la collectivité dépollue...

dominante de notre temps qu'elles se sont vu reconnaître des droits allant au-delà de ceux reconnus aux individus. Selon le beau mot de Chomsky, elles constituent des « tyrannies privées ».

Mais toutes ces mutations sociales et économiques sont peu concevables sans une longue et patiente préparation des esprits à les accepter. Ainsi, la plupart de mes contemporains peuvent vivre dans une économie de marché – bien que ce point de vue soit hautement risible. Pour arriver à un tel résultat, de nombreux groupes de pression et de réflexion (de *think tanks*) ont joué un rôle crucial. Celui qui, chez nous, ne sait rien, par exemple, de la nature du Conseil canadien des chefs d'entreprise et de son président ignore un aspect tout à fait majeur de notre vie collective depuis des années. De même, les médias sont déjà, dans une large mesure, contrôlés par les cartels auxquels ils appartiennent et jouent un rôle fondamental dans la préparation et l'adaptation des esprits aux nouvelles réalités [1]. Tout cela échappe largement à la connaissance du public et à tout contrôle démocratique. L'école et l'université sont désormais transformées dans leur mission et dans

1. Sur les supposés bienfaits de la concentration de la presse québécoise, désormais pratiquement entre les mains d'un seul groupe, lire *Le Couac*, vol. 4, nº 2-5.

leurs valeurs constitutives par ces mêmes forces, pour les mêmes raisons et avec les mêmes objectifs.

Pour faire comprendre ce que la question de la responsabilité des intellectuels engage à mes yeux, je reprendrai une image utilisée par Michael Albert [1]. Imaginons qu'un dieu, lassé de la folie des hommes, traite différemment toute mort non naturelle, qui résulte de décisions humaines : les cadavres ne seront pas enterrés, ils ne se décomposeront pas mais seront installés à bord d'un train qui circulera indéfiniment autour de la planète. Les corps s'empileront dans les wagons à raison de deux cents par wagon et d'un nouveau wagon toutes les cinq minutes. Corps de gens tués dans des guerres ; corps d'enfants non soignés et morts faute de médicaments qu'il coûterait quelques sous de leur fournir si étaient abolies les tyrannies pharmaceutiques ; corps de gens battus, de femmes violées, d'hommes morts de peur, d'épuisement, de faim, de soif, morts d'avoir du travail, morts de n'en pas avoir, morts d'en avoir cherché, morts sous des balles de policiers, de soldats, de mercenaires, morts au travail, morts

1. Cette image structure la préface de Michael Albert au livre de Noam Chomsky, *Responsabilités des intellectuels*, Marseille, Agone, 1998. Lire aussi : Michael Albert, *Stop the Killing Train*, Boston, South End Press, 1993.

d'injustice. D'ici à 10 ans, le train fera déjà plusieurs dizaines de kilomètres de long, s'étendant du nord au sud des États-Unis.

Quelle est la responsabilité des intellectuels en regard de ce train-là ? Mais d'abord, qui sont ces intellectuels ? Je voudrais être très précis ici, car je vais dire des choses très dures sur les intellectuels, mais elles ne valent qu'au sens où ma définition les désignera. Lorsqu'il est question de la « responsabilité des intellectuels », j'ai en tête celle qui incombe à une classe particulière de gens lorsqu'ils se penchent sur certaines questions particulières. Et uniquement ceux-là quand il s'agit de ces questions-là [1]. Cette classe de gens n'est sans doute pas définie avec une précision mathématique, pas plus que ces problèmes auxquels on fait référence à leur sujet. Mais on peut convenir que le fait d'exercer ses facultés mentales ne suffit pas à définir l'appartenance à la classe des intellectuels : après tout, il n'est pas réservé à une élite de penser et les facultés intellectuelles sont utilisées dans diverses activités qui vont de la réparation d'une bicyclette à la résolution de problèmes de mathématiques et à la conception d'une

1. Je laisse ici de côté plusieurs dimensions de la responsabilité des intellectuels. Notamment les responsabilités contractuelles de l'enseignant ou du savant envers les organismes subventionnaires.

expérimentation scientifique... Or, ces activités ne sont pas typiquement celles auxquelles l'on pense quand on cherche à préciser ce qu'est la responsabilité propre aux intellectuels. Qui sont-ils, alors ?

Cette classe est celle dont les membres, dans leurs activités habituelles, font tout particulièrement, voire quasi exclusivement, usage des facultés intellectuelles : le physicien, l'éditorialiste, le professeur d'université, l'artiste, le savant sont typiquement ceux que l'on a en tête ici. Notez toutefois qu'on ne pense pas alors au physicien en tant qu'il fait de la physique, ou à l'artiste en tant qu'il peint une toile et ainsi de suite ; c'est que, dans l'expression « responsabilité des intellectuels », les intellectuels se caractérisent aussi par la catégorie bien spécifique d'objets et de problèmes qu'ils traitent. Pour aller rapidement à l'essentiel, disons qu'il s'agit de questions qui relèvent notamment du politique, du sens de notre vie commune, des problèmes qui y sont débattus, des choix qui y sont faits, etc.

Les intellectuels, au sens où ce mot est entendu, sont donc tous ceux qui, ayant des activités intellectuelles dans une sphère particulière (en tant qu'artistes, savants, chercheurs et ainsi de suite), interviennent dans la sphère publique et commune où se débattent des questions comme celles que j'ai évoquées.

La distinction que je suggère me semble triviale et, s'il est vrai qu'elle n'est pas d'une précision mathématique, elle me paraît demeurer valable, utile et admissible, au moins dans un vaste éventail de cas. Fallait-il ou non intervenir au Kosovo, en 1999 ? Voilà sans l'ombre d'un doute une question qui appartient à la catégorie des problèmes qui relèvent des débats entourant la responsabilité des intellectuels. La démonstration du dernier théorème de Fermat est-elle ou non valide ? À supposer qu'elle se pose – je n'en ai aucune idée –, cette question ne relève pas de la même catégorie, bien que le sujet et sa discussion soient éminemment intellectuels, cette fois au premier sens du terme.

Poser la question de la responsabilité des intellectuels, c'est donc chercher à déterminer ce qu'il est moralement souhaitable et pratiquement possible de demander ou d'espérer de ces gens dont l'essentiel de l'activité relève de l'exercice de la pensée, quand ils exercent leurs facultés à propos des choix faits dans les domaines de la vie commune, de la politique et ainsi de suite. La réponse à cette question, la réponse élémentaire, banale, minimale et suffisante dans une majorité de cas, est celle que propose par exemple Noam Chomsky quand il écrit :

> À une minorité privilégiée, les démocraties occidentales offrent le loisir, les ressources

> ainsi que la formation permettant de rechercher la vérité derrière le voile des distorsions et des fausses représentations, de l'idéologie et des intérêts de classe à travers lesquels les événements de l'histoire qui se déroule nous sont présentés. La responsabilité des intellectuels, dès lors, est plus profonde que ce que Dwight Macdonald appelle les responsabilités du peuple, compte tenu de ces privilèges uniques dont les intellectuels jouissent. Il est de la responsabilité des intellectuels de dire la vérité et de débusquer les mensonges [1].

À mes yeux, l'essentiel est dit.

Sortant de la sphère de l'activité spécialisée qui les définit pour intervenir dans les enjeux sociaux et politiques, les intellectuels devraient examiner le monde dans le respect des normes qui régissent leurs activités habituelles : honnêteté, recherche de la vérité, objectivité, tout particulièrement. À l'écart de l'indifférence et du moralisme abstrait, ils devraient s'efforcer d'aborder des problèmes importants, c'est-à-dire qui ont des conséquences majeures pour de nombreuses personnes. Il peut être possible, avec l'aide du public auquel ils s'adressent, de les résoudre. Ils devraient enfin s'efforcer de communiquer ce qu'ils ont compris et surtout de le communiquer clairement aux personnes

1. Noam Chomsky, *American Power and the New Mandarins*, New York, Penguin Books, 1969, p. 257.

concernées, notamment parce que ce qui est en cause les affecte directement et qu'elles sont en mesure de le changer.

Bon nombre de ces conditions sont le plus souvent remplies par la plupart des êtres humains dans leurs activités ordinaires. Elles se trouvent par exemple réunies dans une bonne émission de radio ou de télévision pendant laquelle on discute de sport. Les gens s'y efforcent d'être rationnels, de ne pas se contredire ; ils évitent de se référer à des choses qui n'ont aucun rapport avec le sujet, tentent de réunir les informations utiles à la discussion, d'élaborer des arguments, de les débattre dans une langue compréhensible. Ces conditions sont aussi remplies par bien des intellectuels quand ils se livrent à leurs activités habituelles. Du physicien au philosophe, tous doivent en effet se plier à ces règles, s'ils ne veulent pas être exclus de la communauté scientifique.

Ma conviction est que ces conditions ne sont que trop rarement remplies par les intellectuels dans les questions et débats qui engagent leurs responsabilités. Si j'ai raison en cela, et puisque des pans entiers de la vie intellectuelle, des disciplines importantes de la vie universitaire sont voués tout ou partie à l'examen de questions qui engagent les responsabilités des intellectuels, il s'ensuit aussi que, dans une substantielle mesure, une bonne part de la vie intellectuelle ne s'élève pas au niveau des amateurs de sport.

Affirmation scandaleuse ? Je la tiens toutefois pour essentiellement exacte, et d'une exactitude cruciale. Des disciplines telles que la science économique, par exemple, à condition qu'elles concernent les questions dont je traite ici, sont dans une large et significative mesure une entreprise de justification de l'ordre établi. Sur un autre plan, l'affaire Sokal [1] a démontré de manière très convaincante que des pans entiers de la vie de l'esprit pouvaient se fonder sur la fraude et l'imposture intellectuelle [2]. Tout cela n'est d'ailleurs pas tellement étonnant. C'est qu'à s'en tenir aux normes intellectuelles ordinaires, à celles qui prévalent au moins largement dans la vie quotidienne et dans les disciplines ayant un contenu intellectuel véritable, on découvre bien vite qu'on ne sait hélas que bien peu de choses et, plus encore, que ces pecadilles n'ont qu'un rapport ténu avec les problèmes et les questions sur lesquels les intellectuels doivent se montrer responsables. Ainsi la notion de marché élaborée par l'économie n'a-t-elle que peu de rapport avec le monde

1. L'affaire Sokal est constituée de la publication, en 1996, d'un article pseudo-scientifique soumis par le physicien Alan Sokal à la revue *Social Text.* [NdE]

2. Jean Bricmont et Alain D. Sokal, *Impostures intellectuelles*, Paris, Odile Jacob, 1997.

dans lequel on vit et n'est-elle que de peu d'incidence pour décrire et comprendre ce qui se passe autour de nous.

En fait, les savoirs dont nous disposons pour penser le monde des affaires humaines et pour aborder la plupart des difficiles problèmes qu'il nous pose n'ont qu'un intérêt et une pertinence fort limités. En prendre acte devrait nous forcer à la plus grande modestie. Une attitude qui ramène les intellectuels à la situation de la plupart des gens engagés dans des activités pratiques : chercher à s'informer au mieux, juger au moins mal et faire preuve de prudence. Mais cette conclusion est inadmissible pour bon nombre d'intellectuels, car elle ne constitue pas une justification acceptable des privilèges qui leur sont consentis.

George Orwell a écrit quelque part qu'un animal bien dompté saute dans le cerceau dès que claque le fouet, mais qu'un animal parfaitement dompté n'a plus besoin du fouet. Un intellectuel bien éduqué n'a donc pas besoin de se faire rappeler qu'il y a des sujets dont il ne convient pas de parler. Il ne faut donc pas s'étonner que, loin de reconnaître les limites du savoir dont ils disposent, les intellectuels parlent comme s'ils possédaient un savoir profond, incontournable et décisif ; que loin de s'adresser à ceux qui sont concernés par le sujet dont ils parlent, ils ne parlent qu'entre eux ; que loin de s'efforcer d'être compris, ils s'expriment dans une langue souvent hermétique et obscure. Ces intellectuels ont parfaitement intégré ce qui leur assure d'obtenir des privilèges parfois importants et ce qui garantit qu'on n'y ait pas accès. Intellectuellement, les résultats sont souvent risibles [1].

« Fantômas se vantait de ses crimes ; Savantas leur trouve des excuses », disait Prévert. Intellectus les justifie.

J'ai plus d'une fois vérifié qu'on peut trouver plus de vie intellectuelle chez des gens qui ignorent jusqu'à l'existence des savants penseurs (comme ceux brocardés par Sokal et Bricmont) que chez ceux-là ou chez ceux qui les lisent, commentent et vénèrent. De même, on trouve souvent chez les premiers bien plus de liberté dans l'exercice de la pensée, bien plus d'aptitude à l'autonomie de la réflexion, et surtout bien plus de cette humanité et de cette empathie sans lesquelles la pensée est mutilée. Mais tout cela, au demeurant, est tout à fait prévisible : les intellectuels sont la première cible de la propagande que sécrète notre monde, et ils remplissent parfaitement la fonction que les institutions dominantes leur confient en

1. En complément de l'affaire Sokal, lire Jacques Bouveresse, *Prodiges et vertiges de l'analogie. De l'abus des belles-lettres dans la pensée*, Paris, Raisons d'agir, 1999.

détournant l'attention du public des véritables enjeux qui le concernent, en le privant des moyens de se défendre, en aidant à formuler et à articuler les consensus des puissants. Les intellectuels en retirent de grands avantages en termes de prestige, de distinctions, de pouvoir, d'argent et ainsi de suite. Mais on peut préférer trahir ce rôle, refuser de servir cette culture du mensonge et de la mort et qui exige qu'on se mette sans réserve à son service. Il y a un prix personnel à payer, mais il y a de grandes joies à en attendre.

Que devraient faire les intellectuels, ici et maintenant? Ma réponse peut être aisément déduite de ce qui précède. Les intellectuels devraient aborder les questions politiques et sociales avec les normes et les valeurs intellectuelles qui prédominent dans leurs domaines de compétence. C'est ainsi seulement qu'ils sont susceptibles d'apporter une contribution originale et directe aux problèmes qu'ils traiteront. Dans un monde largement dominé par des intérêts particuliers et à courte vue, il leur faut introduire des perspectives à long terme et s'efforcer de tendre vers l'objectivité, faire la preuve du caractère irremplaçable des contributions de la raison, du respect des faits, de l'honnêteté et de la clarté.

Prenant ensuite acte du fait que les enjeux et les problèmes humains sont largement sousdéterminés par les savoirs, ils devraient inviter aux échanges, à la discussion et pour ce faire, s'adresser aux gens de manière à en être compris. Tout ceci est minimal et me paraît aller de soi. Ce qui suit l'est moins.

Des années de propagande et de matraquage idéologique et économique ont laissé les gens non seulement isolés (c'est pourquoi les intellectuels doivent tout mettre en œuvre pour les approcher) mais également cyniques parce que persuadés que tout changement pour le mieux est désormais impossible. En ce sens, il n'est plus suffisant de faire simplement état de la misère du monde, ce qui est su, connu, et surtout vécu – à tout le moins par ceux qui ne fréquentent pas les hautes sphères où se cantonnent les Importants. Il est donc de la responsabilité des intellectuels de proposer des modèles alternatifs qui soient tout à la fois attirants, plausibles et mobilisateurs. C'est pourquoi je m'efforce, depuis quelques années, de faire connaître un modèle d'économie participative imaginé par Robin Hahnel et Michael Albert[1]. Ce modèle nous montre qu'il est

1. Voir plus loin « Une proposition libertaire », p. 271. En anglais, de M. Albert et R. Hahnel, *Looking Forward : Participatory Economics for the Twenty First Century*, Boston, South End Press, 1991 ; *The Political Economy of Participatory Economics*, 1991 et *Quiet Revolution in Welfare Economics*, Princeton, Princeton UP, 1990.

possible d'organiser une économie efficace et efficiente, où ne prévalent ni le marché, ni le profit, ni l'organisation hiérarchique du travail, et qui ne soit pas l'économie planifiée – dont les immenses défauts ne sont plus à démontrer. Cette économie accomplirait toutes les fonctions que rassemble une économie saine – dont produire en quantité suffisante des biens variés en conformité avec les désirs des participants –, mais au travers d'institutions qui favoriseraient la solidarité, la justice, la démocratie participative et l'équité. Dans une telle économie, le chômage n'existerait pas, car le travail serait équitablement réparti, et chacun pourrait bénéficier d'un niveau de vie bien meilleur que celui de l'immense majorité des gens actuellement.

Je sais que bien des raisons fort valables militent à première vue contre l'accomplissement d'un tel travail. Comme je sais aussi que seule l'expérience pourra nous informer des mérites de quelque proposition que ce soit. Je sais encore qu'il faut être plus que méfiant devant tout projet par lequel des individus, fussent-ils les mieux intentionnés, viennent nous dire comment il faudrait réorganiser la société – cet autoritarisme potentiel, par lequel une élite prétend savoir et imposer aux autres ce qu'il convient de faire, est extrêmement dangereux ; et je sais enfin que face au combat politique tellement urgent qui doit être mené contre des adversaires bien connus et identifiés, c'est peut-être perdre un temps précieux – car mieux utilisé dans des activités militantes – que de chercher à imaginer, dans un aujourd'hui aliéné, des lendemains qui chantent. Et pourtant, il me semble que cette entreprise n'est ni futile ni inutile et que, si on la conçoit et la réalise avec humilité, sans autoritarisme, avec des visées pédagogiques et dans un esprit d'invitation à la discussion, elle pourra s'avérer pertinente et légitime.

L'endoctrinement auquel nous sommes soumis s'oppose à toute conception d'un autre ordre social et politique. Nos actions et nos revendications tendent dès lors à se faire réformistes, à se contenter de ne viser qu'un aménagement des circonstances et des institutions dans lesquelles nous vivons. L'économie participative nous rappelle avant tout qu'on peut aller plus loin, qu'il est légitime de penser qu'une transformation radicale des circonstances et des institutions est à la fois possible et souhaitable. Ce modèle nous apprend ainsi à penser par-delà le cercle étroit de ce que la propagande nous permet d'envisager. On finit par redécouvrir cette précieuse vérité que, malgré ce qui nous est sans cesse dit et répété à satiété, l'ordre économique actuel n'a rien de nécessaire, qu'il est une construction sociale, historique et politique.

La leçon est précieuse.

De plus, je suis fermement convaincu que la plupart des gens sont tout à fait conscients du caractère nuisible de nos institutions – en économie notamment. Mais comme on n'entend jamais parler d'autre possibilité, le plus grand nombre s'investit dans des solutions d'aménagement ou se réfugie dans une solitude indifférente ou cynique. Le travail d'Albert et Hahnel permet d'imaginer une nouvelle organisation sociale et économique à la fois possible et souhaitable et, en ce sens, il constitue un précieux antidote au découragement en offrant à l'action militante des objectifs concrets. Une partie de ce livre est consacrée à examiner leur travail et à le développer à ma façon.

Enfin, un tel modèle nous permet de définir par la discussion ce que nous souhaitons, puis de jauger le monde, nos pratiques et nos institutions à l'aune de notre idéal. L'écart entre ce qui est et ce qui nous semble souhaitable devient alors un précieux outil militant et pédagogique qui ouvre l'analyse de la faisabilité mais aussi de la désirabilité de ce qui est proposé. Proposons donc à la discussion des modèles et des visions riches, crédibles et fondés sur ce qui nous semble désirable dans toutes les sphères de la vie sociale, économique et politique. C'est ici l'autre pôle de gravité de cet ouvrage.

Il va de soi que se livrer à de telles activités constitue une trahison de la tradition intellectuelle.

Et c'est tant mieux.

Contrepoisons. Le modèle propagandiste des médias

J'ai lu les nouvelles aujourd'hui, oh la la...
John Lennon

Dans un ouvrage désormais célèbre [1], puis dans plusieurs autres écrits, Noam Chomsky et Edward S. Herman ont développé et mis à l'épreuve des faits une conception originale du rôle, de la nature et des fonctions des médias au sein des sociétés industrielles avancées. Les objections qui leur sont couramment adressées à propos de leur modèle « propagandiste » des médias relèvent, selon

1. Edward S. Herman et Noam Chomsky, *La fabrication du consentement. De la propagande médiatique en démocratie*, Marseille, Agone, 2008. Les articles de Herman et Chomsky paraissent notamment dans *Z Magazine* : www.zmag.org.

moi, d'un malentendu quant à la nature et à la portée de leur thèse.

Herman et Chomsky soutiennent que les médias sont en quelque sorte surdéterminés par un certain nombre d'éléments structurels et institutionnels qui conditionnent – pas entièrement mais très largement – le type de représentation du réel qu'ils proposent ainsi que les valeurs, les normes et les perceptions qu'ils favorisent. Plus concrètement, Herman et Chomsky ont proposé un modèle selon lequel les médias remplissent, dans une très grande mesure, une fonction propagandiste au sein de la société. Selon cette analyse, les médias « servent à mobiliser des appuis en faveur des intérêts particuliers qui dominent les activités de l'État et celles du secteur privé ; leurs choix, insistances et omissions peuvent être au mieux compris – et parfois même compris de manière exemplaire et avec une clarté saisissante – lorsqu'ils sont analysés en ces termes [1] ».

Le modèle propagandiste des médias pose un certain nombre de filtres comme autant d'éléments surdéterminant la production médiatique. Partant de là, ce modèle autorise des prédictions, et il s'agit dès lors de déterminer si les observations s'y conforment ou non.

> En somme, l'interprétation propagandiste des médias suggère une dichotomie systéma-

1. *Ibid.*, p. XI.

tique et hautement politique de la couverture médiatique, qui est fonction des intérêts des principaux pouvoirs nationaux. Ceci devrait se vérifier en observant le choix des sujets qui sont traités ainsi que l'ampleur et la qualité de leur couverture [1].

Les filtres retenus sont au nombre de cinq. Le premier est constitué par la taille, l'appartenance (*ownership*) et l'objectif de profit des médias. Le deuxième est dû à la dépendance des médias à l'endroit de la publicité : les médias, rappelle-t-on ici, vendent moins des informations à un public que du public à des annonceurs. C'est ainsi que celui qui achète un quotidien ne s'en doute peut-être pas mais, pour une part significative, il est lui-même le produit dans ce qu'il considère n'être qu'une transaction dans laquelle il achète de l'information. Le troisième filtre est attribué à la dépendance des médias à l'égard de certaines sources d'information : le gouvernement, les entreprises elles-mêmes – notamment par les firmes de relations publiques, dont l'importance est croissante –, les groupes de pression, les agences de presse. Cela crée, par symbiose si l'on peut dire, une sorte d'affinité aussi bureaucratique qu'idéologique entre les médias et ceux qui les alimentent. Le quatrième filtre est celui des

1. *Ibid.*, p. 35.

critiques que les puissants adressent aux médias et qui servent à les discipliner. On tend alors à reconnaître qu'il existe des sources fiables, communément admises, et on s'épargne du travail et d'éventuelles critiques en référant quasi exclusivement à celles-ci et en accréditant leur image d'expertise.

Ce que disent ces sources et ces experts est de l'ordre des faits ; le reste est de l'ordre de l'opinion, du commentaire, subjectif et par définition de moindre valeur. Il va de soi que l'ensemble de ces commentaires est encore largement circonscrit par tout ce qui précède. Le cinquième et dernier filtre est baptisé par Herman et Chomsky « l'anticommunisme ». Cette dénomination, à l'évidence marquée par la conjoncture américaine, renvoie en fait à l'hostilité des médias à l'endroit de toute perspective de gauche, socialiste, progressiste, etc.

Ce modèle a soulevé de vives protestations. On lui a par exemple reproché son caractère limitatif, en objectant qu'il ne rend pas compte de la très grande diversité de pratiques que recouvre la réalité médiatique. Des journalistes lui ont opposé avec virulence leur propre expérience de travail dont, ont-ils rappelé avec raison, toute trace de censure est absente[1].

1. Remarquons néanmoins que, dans certaines circonstances (institutionnelles), celui qui rappelle n'avoir

Des théoriciens des médias, notamment, ont enfin fait valoir qu'un tel modèle risque de renvoyer à une perspective qui fait intervenir une conspiration plus ou moins occulte, ce qui ne serait guère crédible, il faut en convenir.

Mais ces critiques me semblent, pour l'essentiel, reposer sur un profond malentendu quant à ce que le modèle d'Herman et Chomsky se propose d'accomplir.

Il est exact que le modèle est loin de rendre compte, dans son ensemble, de la diversité des pratiques que recouvre le monde des médias. Mais il ne l'a jamais prétendu. De même, ce modèle ne prétend pas s'intéresser aux acteurs de manière prépondérante ou significative. Le sentiment d'entière liberté qu'évoque le journaliste est sans doute bien réel, mais il ne contredit pas le modèle : celui-ci se place à un autre niveau d'analyse.

Pour le comprendre, il faut rappeler que ce modèle est avancé selon un point de vue particulier concernant la logique de l'explication scientifique. On n'a d'ailleurs guère souligné, du moins à ma connaissance, combien la méthodologie ici mise en œuvre est parente de

jamais connu la censure peut tendre, parfois, à faire la preuve qu'il est tout à fait à sa place : ayant complètement intériorisé les normes, valeurs et représentations du monde pour lequel il œuvre, la censure n'a tout simplement pas besoin de se manifester dans son cas.

celle que Chomsky a prônée en linguistique, où il a justement défendu une certaine conception (dite « galiléenne ») de la théorisation scientifique. C'est elle qui, en linguistique, l'a amené à ne se préoccuper des données empiriques immédiates (la parole, les énoncés produits ou, pour mieux dire, la « performance » linguistique) que pour chercher à déterminer les conditions rendant possibles ces énonciations dont certaines caractéristiques apparaissent remarquables (créativité des locuteurs, notamment). L'analyse linguistique de Chomsky porte ainsi plutôt sur la compétence des locuteurs et cherche à découvrir ce qui rend possible cette compétence. On sait à quel point cette révolution conceptuelle et méthodologique a été féconde en linguistique. C'est, *mutatis mutandis*, une approche similaire qu'il a adaptée pour l'étude des médias.

Chomsky s'en expliquait encore à l'occasion d'une causerie de *Z Magazine* :

> Il s'agit d'étudier les médias comme un scientifique étudierait, par exemple, une molécule ou quelque autre objet complexe. Pour ce faire, vous examinez la structure, puis vous formulez une hypothèse concernant l'aspect probable de la production médiatique. Vous examinez ensuite la production médiatique pour déterminer dans quelle mesure elle est conforme à vos hypothèses.

> Pour l'essentiel, le travail d'analyse des médias consiste précisément en cela : chercher à savoir ce qu'est exactement cette production médiatique et déterminer si elle correspond ou non à certaines suppositions qu'on formule volontiers compte tenu de la nature et de la structure des médias [1].

Sans jamais invoquer une quelconque conspiration, ce modèle n'a nullement besoin de faire intervenir de manière prépondérante ou essentielle les motivations des acteurs pour expliquer ce qui se passe. Et ce qui se passe, si ce modèle est juste, c'est une forme de contrôle des esprits laissant la pleine liberté à l'intérieur des cadres qu'elle fixe, une propagande se déployant dans l'atmosphère de la plus grande liberté, une manière d'autocensure consentie qui est sans doute la forme la plus efficace de toutes les censures.

Cette analyse, je me permets d'insister sur ce point, est holiste. Et, si la question de savoir à quoi tout cela peut correspondre chez les individus n'est pas traitée par les auteurs, c'est qu'elle déborde le cadre de leur analyse. Tout au plus conviendront-ils que c'est bien, à un certain niveau d'analyse, d'individus qu'il s'agit.

1. Noam Chomsky, « What Makes Mainstream Media Mainstream. From a talk at Z Media Institute », juin 1997. Ce texte d'une causerie, inédit à ce jour, est disponible sur le site de *Z Magazine*, à www.zmag.org.

Ce qui explique que plusieurs d'entre eux, les plus perspicaces sans doute, sauront manœuvrer de manière à repousser au maximum le système de contraintes et à y échapper en partie lorsque les circonstances y sont favorables. Tout (bon) journaliste sait cela.

Il n'est peut-être pas sans intérêt de rappeler comment Orwell envisageait cette question de l'incarnation d'un tel système de contraintes chez les individus :

> Le processus doit être conscient, faute de quoi il ne pourrait être mené avec précision ; mais il doit aussi être inconscient, sinon il ferait naître un sentiment de tromperie, puis de culpabilité...
>
> Raconter délibérément des mensonges tout en y croyant, oublier un fait devenu encombrant puis, dès lors qu'il redevient nécessaire, le faire sortir de l'oubli juste pour la durée pendant laquelle il sera utile à la négation de la réalité, accomplir tout cela en continuant à prendre en compte cette réalité même que l'on nie – tout ceci est obligatoirement nécessaire [1].

En somme, le modèle invite à considérer que les médias contribuent à établir et à défendre l'ordre du jour des Maîtres ; qu'ils servent leurs intérêts par le choix des sujets qu'ils traitent, par la manière dont ils pondèrent ces sujets,

1. George Orwell, *1984*, Paris, Gallimard, 1981.

ainsi que par la manière dont ils les abordent : filtrage de l'information, accent mis ou non sur tel ou tel élément, ton employé, et tout cela en s'assurant que le débat ait lieu à l'intérieur de prémisses jugées acceptables [1].

La méthodologie employée par les auteurs est-elle la bonne ? On pourrait en discuter longuement et les critères permettant de répondre à cette question sont variés. Mais si on accepte cette approche, la question cruciale est de savoir si les observations sont conformes aux prédictions du modèle. Il semble bien que ce soit le cas, et même de manière tout à fait exemplaire.

À ce propos, citons de nouveau la causerie de Chomsky :

> Comment envisager la nature même du produit médiatique, compte tenu de l'ensemble de ces données ? Quelle serait ici l'hypothèse nulle, cette conjecture qu'on avancerait volontiers et qui ne supposerait rien de plus que ce que l'on sait déjà ? La proposition évidente à avancer est que la production médiatique (ce qui paraît, ce qui ne paraît pas, les perspectives qui sont adoptées) reflétera les

1. D'où cette remarque de Chomsky que j'ai fait mienne depuis longtemps : lorsqu'un débat a lieu dans les médias, cherchez à déterminer les prémisses que partagent les protagonistes. C'est souvent là que se trouve un, sinon le véritable enjeu dont on ne parle guère mais qui devrait être discuté.

> intérêts des acheteurs et des vendeurs, des institutions et des systèmes de pouvoir qui les chapeautent. On est même en droit de penser que le défaut d'observer cela constituerait une sorte de miracle.
>
> Fort bien. Vient ensuite le travail difficile. Vous cherchez à savoir si tout fonctionne bien ainsi que vous l'avez prédit. Qu'en est-il ? Il y a à ce propos une importante documentation et chacun pourra en juger. L'hypothèse a été soumise aux mises à l'épreuve les plus sévères que l'on puisse imaginer : elle demeure remarquablement solide. À vrai dire, on ne trouvera guère, dans les sciences sociales, d'observations autorisant une conclusion de manière aussi solide. Ce qui, au fond, ne constitue pas une grande surprise : il serait miraculeux qu'il n'en soit pas ainsi, compte tenu des forces qui sont à l'œuvre et de la manière dont elles agissent.

Dans la même perspective, on peut affirmer qu'il n'y a rien d'étonnant à ce que l'on considère, chez nous, sans rire, qu'un débat d'idées c'est un échange, infligé quotidiennement, entre Jean Lapierre et Jean Cournoyer ; que le ruban d'or de l'excellence radiophonique soit, cette année encore, décerné à Gilles Proulx ; ou que *La Presse*-Power Corporation confie à Claude Picher le soin de nous informer sur l'économie.

Et ainsi de suite, *ad nauseam*.

Mais ce modèle, que j'ai brièvement décrit, permet aussi un certain nombre de prédictions concernant cette fois l'étude des médias, les travaux et les recherches qui les prennent pour objet, du moins une partie d'entre eux menés au sein d'institutions respectables. En bref, puisque le modèle d'analyse que je viens d'esquisser envisage les médias comme un élément du système de propagande, et que ce dernier comprend également d'autres institutions, celles-ci, en particulier lorsqu'elles se penchent sur les médias, demandent aussi à être examinées en fonction des rapports qu'elles entretiennent avec les structures de pouvoir. Ici encore, des hypothèses semblent naturellement se proposer. Qu'en est-il ?

> Ce sujet est entièrement tabou. Si vous allez au Kennedy School of Government, à Stanford ou ailleurs, et que vous étudiez le journalisme, les communications ou les sciences politiques, il est très peu probable que cette question soit soulevée. En d'autres termes, il n'est pas possible de soulever la simple hypothèse qui viendrait pourtant à l'esprit du premier venu, et les observations qui permettraient de l'établir ne peuvent être discutées. Mais ceci, vous l'aviez également prédit. En examinant la structure institutionnelle, vous vous êtes dit : il est prévisible que ça se passe ainsi,

> car pourquoi ces types voudraient-ils être dénoncés ? Pourquoi consentiraient-ils à une analyse critique de ce qu'ils produisent ? Il n'y a aucune raison pour qu'ils admettent une telle chose. Et, dans les faits, ils ne le permettent pas. Ici encore, il ne s'agit nullement de censure délibérée.

Tout cela se vérifie avec une confondante constance. Je voudrais en donner un bref exemple qui ne constitue certes pas une preuve de ce que j'avance, mais qui mérite tout de même une brève mention tant il illustre bien ce dont je parle ici.

En préparation de ce livre, je me suis plongé, entre autres, dans la lecture d'un imposant ouvrage portant sur les communications. Il a pour ambition de dresser un état des savoirs en ce domaine. À cette fin, il a mobilisé des dizaines d'experts. Il n'y est évidemment pas question des idées de Herman et Chomsky ou de quelque thèse similaire. Le chapitre consacré aux médias s'ouvre, comme c'est l'usage, sur un rappel de la contribution de Harold Dwight Laswell à ce champ d'études :

> L'essor des moyens de communication de masse, assure l'auteur, est une caractéristique essentielle des sociétés contemporaines, et leur étude constitue un champ d'investigation très important. L'Américain Harold Laswell fut le premier à concevoir un véri-

table programme de recherche sur les médias. Par la suite, la réflexion sur l'influence des moyens de communication (radio, télévision, presse) sur les individus a constitué le pôle majeur d'interrogation [1].

Laswell, tel qu'il l'indique lui-même dans une des toutes premières éditions de l'*Encyclopedia of Social Sciences*, se montre d'abord méfiant envers ce qu'il nomme le « dogmatisme démocratique », c'est-à-dire cette idée selon laquelle les gens ordinaires seraient en mesure de déterminer eux-mêmes leurs besoins, leurs intérêts et qu'ils seraient donc en mesure de choisir par eux-mêmes ce qui leur convient. Pour lui, l'information est d'abord une façon de contrôler la populace.

Laswell a le mérite, rarissime aujourd'hui, d'appeler la chose par son nom : la propagande. On se prend d'ailleurs à rêver d'une présentation des médias destinée au grand public et d'où ne serait pas occulté le rôle prépondérant joué par ce laboratoire de la propagande que fut la commission Creel, qui fut aussi celui des firmes de relations publiques. Les maîtres, pour leur part, sont parfaitement au courant de tout cela.

Au moment où se négociait l'ALENA, un mémo secret issu du bureau du premier

1. Philippe Cabin (dir.), *La communication. État des savoirs*, Paris, Éditions Sciences humaines, 1998, p. 283.

ministre canadien aboutissait dans les pages du *Maclean's*. On y lisait ceci :

> Il est vraisemblable que plus le sujet sera connu et débattu, plus l'appui que lui accorde le public ira en déclinant. Cependant, un programme de communication correctement exécuté aura pour effet probable d'induire, chez la majorité des Canadiens, une sorte de bénin désintérêt pour le sujet.

Il y a là des mots codés qu'il faut savoir déchiffrer.

L'idée que le public puisse connaître et débattre de sujets qui le concernent s'appelle la démocratie. C'est une chose que nos Maîtres ont en horreur, surtout si cela conduit le public à retirer son appui à un projet qu'ils poussent. Heureusement, et la recette est bien connue et éprouvée depuis longtemps, il est possible d'éliminer ce risque toujours inhérent à la démocratie en rendant impossible cette prise de connaissance et les débats qui s'ensuivraient. Pour ce faire, le recours à la propagande est l'outil privilégié. C'est ce qu'on appelle un programme de communication. Mais revenons à Laswell et à ses idées. Toujours dans ce même ouvrage, on nous rappelle encore qu'il laisse à la recherche contemporaine un fort important héritage en vertu duquel l'analyse des médias doit nous dire qui dit quoi, comment, à qui, et avec quels effets.

Restons-en à la première interrogation. À la question de savoir qui parle, la recherche contemporaine, à en juger par la présentation qu'en offre l'ouvrage déjà cité, répond ceci : les hommes politiques, les responsables économiques et syndicaux, les artistes, les intellectuels, les sportifs ; les professionnels des médias (producteurs, réalisateurs, rédacteurs en chef, journalistes, publicitaires) ; les citoyens, partie prenante dans un événement (attentat, grève) ou invités à s'exprimer (*talk-show*, courrier des lecteurs [1]).

Cette réponse me paraît tout à fait remarquable par ce qu'elle omet. Chacun sera en mesure de l'apprécier à sa juste valeur. Disons simplement qu'il n'est pas impossible, avec de telles prémisses, d'étudier les médias canadiens sans jamais parler, disons, de Paul Desmarais.

Tout ceci nous laisse, il me semble, avec une question pratique d'une grande importance. Que faire, concrètement, si nous prenons au sérieux le modèle propagandiste des médias et si nous avons aussi à cœur une autre conception de la démocratie que celle prônée par Laswell, une conception de la démocratie qui conduirait à un régime politique où des citoyens, informés

1. *Ibid.*, p. 310.

au mieux, sont invités à prendre une part active, significative, critique et réflexive dans les affaires qui concernent le bien commun.

À mon sens, il y a quatre éléments principaux de réponse à cette question cruciale.

Le premier est l'éducation. Il est permis d'envisager qu'une éducation dispensant une solide culture générale, habilitant à la pensée critique ou faisant de l'analyse des médias un élément de son programme sécrète d'efficaces contrepoisons à la propagande médiatique. Ai-je cependant besoin de souligner combien ces mêmes forces qui sont à l'œuvre dans les médias sont déjà en train de s'attaquer à l'idée et à la pratique d'une éducation humaniste et émancipatrice ?

Si une éducation critique favorise un rapport lui-même critique aux médias, cela ne saurait cependant suffire à la constitution d'une citoyenneté démocratique. Et c'est pourquoi il faut aussi fréquenter et faire connaître les médias dits alternatifs, de manière à s'en alimenter et à favoriser leur développement. La liste de ces sources alternatives d'information est imposante et il y en a pour un assez large éventail de goûts et de sensibilités politiques.

Il me semble aussi, et ce sera mon troisième contrepoison, qu'en vertu même des termes de l'analyse des médias traditionnels que j'ai rappelés, les médias alternatifs seront intéressants dans la mesure où ils s'organiseront structurellement et « institutionnellement » de manière différente que les premiers et donc en fonction de normes et de valeurs distinctes des leurs. Je me permets donc d'affirmer que des formes nouvelles, voire inédites, de propriété, de relations internes de travail et ainsi de suite sont à découvrir et à expérimenter. Soulignons que l'anarchisme est une source vive d'idées permettant d'atteindre de tels objectifs.

Enfin, et c'est peut-être le plus important, il importe de ne pas rester seuls, d'échanger avec d'autres, d'apprendre d'eux comme ils apprendront de nous. L'action militante est un fort précieux banc d'école et sans doute le plus efficace de tous les contrepoisons à l'isolement et à l'abêtissement que produisent les outils des Maîtres.

…PPEL AUX ARMES. …KOSOVO À LA FOIRE …D'ABBOTSFORD

La guerre déclarée, j'ai pris mon courage
à deux mains et je l'ai étranglée.
JACQUES PRÉVERT

I… parier que toutes les atrocités qui ont été commises au cours de l'histoire ont été interprétées par ceux qui les ont perpétrées dans un cadre qui les rendait légitimes, voire salutaires et nécessaires. Dans la mesure où il s'agissait le plus souvent de rendre acceptable l'inacceptable, admissible l'inadmissible, tolérable l'intolérable, ces entreprises de justification, on le devine facilement, ont donné lieu à d'assez formidables contorsions intellectuelles.

Durant l'année 1999, la plupart des intellectuels et des journalistes occidentaux ont apporté leur pierre au vaste et délirant édifice de la sanglante sottise; au total, cette année-là pourrait bien être retenue par la postérité comme celle de l'apparition du concept de guerre humanitaire dans les affaires internationales.

Car la cause fut entendue dès que les Maîtres prononcèrent leur verdict : notre intervention au Kosovo ne pouvait être motivée que par des préoccupations humanitaires – et rien d'autre. Dociles, nos médias et la plupart des intellectuels ont donc passé de longs mois, en 1999, à chanter nos vertus et celles du nouvel ordre international qui se mettait en place grâce à notre croisade en faveur des droits de l'homme et de la démocratie, croisade glorieuse et obstinée dont la guerre du Kosovo fournissait, nous assurait-on, un exemple paradigmatique.

Les observateurs un peu attentifs ont cependant noté que quelque chose clochait dans toute cette histoire : c'est que les faits connus concernant la guerre du Kosovo la contredisent à peu près entièrement. Mais comme chacun sait, dans de telles affaires, les faits sont des détails sans aucune importance...

Appelé à quelques reprises à discuter, pendant qu'elle se déroulait, de cette intervention humanitaire, j'ai un souvenir très net d'un grand malaise que je ressentais alors et que je formulerais à présent ainsi : j'étais – et je demeure – persuadé que pour espérer comprendre un peu ce qui se passait au Kosovo, il fallait qu'on aborde ce conflit en sortant des cadres imposés par la propagande. Or mes interlocuteurs, à l'époque, le refusaient obstinément et s'en tenaient résolument à ce cadre. Plus concrètement : la propagande exigeait que l'on concentre toute notre attention sur ce seul conflit, mais il fallait, pour comprendre, replacer le tout dans un contexte plus large, à la fois social, historique et politique. La propagande fournissait des données dont elle assurait qu'elles constituaient tout ce qu'il y avait à connaître ainsi que les grandes lignes des interprétations à privilégier. Il fallait trouver d'autres faits et chercher d'autres cadres d'explication. Et ainsi de suite.

Le dossier de cette guerre et notamment quelques faits alors passés sous silence sont maintenant largement disponibles pour qui veut les consulter. Une conclusion s'impose : ce n'est pas un mince tribut à la servilité qu'ont payé les médias et les intellectuels occidentaux par leur couverture et leur analyse de ce conflit.

La guerre étant terminée, l'actualité des derniers mois invite à revenir sur ce sujet à travers de nombreux articles consacrés cette fois aux possibles dangers de l'uranium appauvri (UA).

C'est que le système doctrinaire permet désormais que le sujet soit évoqué et que la discussion ait lieu. Ou plutôt – et ceci me semble très important – qu'une certaine discussion, très circonscrite, ait lieu. Car voilà bien de quoi il s'agit : des soldats amis et alliés pourraient être devenus malades à cause de cet UA avec lequel ils ont été en contact. Toute une série de questions se posent donc et ont effectivement été posées et discutées (plutôt bien, il me semble, sur le plan technique et scientifique) dans de nombreux articles, le plus souvent fort instructifs. Qu'est-ce donc que cet UA ? Quand, comment et pourquoi a-t-il été utilisé ? Que savons-nous et que ne savons-nous pas de sa nocivité ? Un sain scepticisme s'impose sans doute sur ce dernier point, mais je ne souhaite pas entrer ici dans cette discussion. Ce qui m'intéresse plutôt, c'est de savoir ce qui est exclu de la discussion qu'autorise le système doctrinaire. Car c'est cela qui est, en général, bien plus intéressant que ce qui est dit. C'est d'ailleurs pourquoi, lorsque j'écoute un débat enflammé entre deux protagonistes à la radio ou à la télévision, je trouve le plus souvent bien plus d'intérêt et d'enseignements à ce dont ils conviennent qu'à ce dont ils débattent. Essayez, vous verrez...

Dans le cas de l'UA, une petite analyse s'impose d'elle-même. Que disaient les grands médias de l'UA durant la guerre au Kosovo, c'est-à-dire au moment où nous le balancions sur la gueule des ennemis (parfois des civils) et où le système doctrinaire nous assurait que nous menions une guerre humanitaire ? Pas grand-chose, je prédirais. Et vous ? Il y a moyen de le savoir facilement, au moins en ce qui concerne nos grands médias écrits francophones au Québec.

Examinons les plus importants – à l'exception du *Journal de Montréal*. Nous commencerons notre enquête au moment du déclenchement du conflit ; mais, pour faire bonne mesure et laisser une chance aux coureurs, nous continuerons notre recension d'articles traitant de l'UA et de son utilisation jusque longtemps après la fin du conflit, disons jusqu'au 31 décembre 1999. Au total, tout de même, plus de neuf mois. Amplement le temps de découvrir qu'on utilise ou qu'on a utilisé de l'UA et de s'interroger là-dessus.

Résultat : 10 articles. Nous ne trouverons durant ces neuf mois que 10 articles traitant de ce sujet. Et encore : deux de ces articles sont des lettres ouvertes rédigées par de simples citoyens ; un autre est signé d'un simple chroniqueur pas journaliste du tout. La plupart de ces écrits proviennent du *Devoir*.

La nouvelle était-elle donc, à l'époque, si difficile à trouver ? Pas du tout. Une dépêche de l'AP la transmet dès le 7 avril, elle est d'ailleurs reprise par *Le Droit* du 8 avril 1999. Mieux : FAIR, la célèbre organisation qui scrute le travail des médias aux États-Unis, fait aussitôt un grand et légitime tapage autour de tout cela. Mais dans le cadre du système doctrinaire alors en place, c'était un non-fait, une chose sans intérêt et sans importance. Si on est aux ordres, on l'ignore. Donc on l'ignora.

Poursuivons. Du 1er janvier 2000 au 25 décembre 2000, le même système doctrinaire se maintient. Seulement 11 articles reviennent sur l'utilisation de l'UA au Kosovo, qui est évoqué le plus souvent en passant.

Mais, à ce moment-là, les premiers tests sont passés à des soldats espagnols ayant servi au Kosovo. La question de la possible nocivité de l'UA ressurgit dans le nouveau cadre qui se met en place. Cette fois, c'est sérieux : il s'agit des nôtres. Dans ce nouveau système doctrinaire, le fait est donc important, sa discussion est désormais légitime. Entre le 26 décembre 2000 et le 24 janvier 2001, 135 articles sont donc consacrés à la question. Cent trente-cinq articles où on n'évoque à peu près pas le fait que c'est au Kosovo que se trouve l'UA.

C'est ce qui s'appelle être aux ordres.

Cependant, j'insiste, c'est bien ce qui est tout particulièrement intéressant.

Car ce n'est pas tant l'utilisation de l'UA, dont la nocivité reste controversée, qu'il faudrait discuter, mais de la guerre. Et de la légitimité de celle-ci. Car c'est la guerre qui tue. Les bombes tout court tuent, UA ou pas.

Si les effets – non établis – de l'uranium appauvri suscitaient vraiment tant de colère, que ne susciterait l'usage des bombes tout court ? La guerre tout court ? Et que de discussions ne nous sentirions nous pas tenus d'avoir sur le contexte de leur utilisation, sur ces sanctions en Irak qui en sont l'abominable conséquence, sur...

Mais il y a fort à parier qu'on préféra ici encore s'en tenir aux faits dont il convient de parler et à l'interprétation que des gens comme il faut en donnent.

Un adage hier encore en circulation dans le milieu du journalisme assurait que cette profession avait pour fonction de satisfaire les inquiets et d'inquiéter les satisfaits. C'était hier. C'était il y a mille ans.

En fait, de manière plus générale mais en conformité avec ce que prédit le modèle propagandiste, on observe une constante et remarquable dichotomie dans le traitement par les grands médias de questions relevant de sujets tels que la criminalité, la guerre ou le terrorisme. Typiquement, une attention soutenue et critique est accordée aux crimes commis par les ennemis officiels, alors qu'une attention remarquablement moins soutenue est accordée aux crimes attribuables à nos amis ou aux institutions dominantes.

À partir de ce principe, des dizaines de prédictions très concrètes peuvent être faites et mises à l'épreuve des faits, notamment par des comparaisons fort instructives. On pourrait, par exemple, se demander comment sont traités des actes illégaux commis par des syndicats et comparer ce traitement avec celui qui est donné d'actes illégaux comparables (ou autrement pires) commis, dans le même temps, par les entreprises.

Ici, il n'est pas sans intérêt de remarquer que la formulation même de cet objet de recherche pourra sembler à beaucoup très étonnante : c'est que la criminalité d'entreprise est à ce point passée sous silence que le concept reste étranger – comme celui, pourtant pertinent, de « bien-être » social pour entreprises.

Pourtant, les trop rares travaux qui ont été menés sur le sujet ne laissent aucun doute ni sur la réalité du phénomène de la criminalité d'entreprise, ni sur son ampleur : fraude, évasion fiscale, contrefaçon, versements de pots-de-vin, non-respect du droit du travail entraînant blessures ou morts, délits d'initiés, recours à des milices privées dans divers pays, occultation d'informations que le public devrait connaître (notamment pour sa sécurité) et j'en passe. Ces crimes, on s'en doute, sont le plus souvent aussi peu punis que connus.

Cette dichotomie des faits et de leur interprétation ne se vérifie pas toujours. Dans certains cas, on note plutôt une occultation complète de certains faits. Chacun doit alors comprendre qu'il ne serait pas bien vu de les évoquer...

C'est le cas avec l'implication canadienne dans les ventes d'armements militaires.

Certes l'image qu'on nous projette sans cesse est celle d'un Canada gentil, aimable, gardien de la paix. Mais cette image ne résiste pas à l'analyse et à l'observation : la portion du budget militaire du pays consacrée aux missions de paix ne représente toujours qu'une infime fraction du montant de nos ventes d'armes. En fait, le Canada reste, *per capita*, un des importants vendeurs d'armes au monde.

Le Abbotsford International Airshow constitue un cas concret intéressant à examiner. Depuis 1961, cette foire aux armes se tient à Vancouver. Elle est désormais mondialement connue, du moins de ceux qui vendent et achètent de l'armement militaire. Plus de 70 pays, des milliers de délégués et de gens d'affaires y accourent pour rencontrer des tas d'entreprises vendant des joujoux pour tuer. Entre autres exposants, notre assisté social Bombardier, mais aussi les bien-de-chez-nous Marconi et Bristol Aérospatiale.

Comment cette foire aux armes est-elle couverte par les grands médias ? La réponse est sans équivoque mais prévisible : elle ne l'est pas du tout.

Au Québec, j'ai eu beau chercher de diverses manières dans une banque de données : depuis 1985, on ne recense qu'une poignée d'articles évoquant la foire d'Abbotsford. Aucun n'est critique, aucun n'explique qu'il s'agit de ventes d'armes. Typiquement, on évoque une simple foire aéronautique. Ici, on nous rappelle que le bureau du Québec de Vancouver participe à cet événement qui a « un rayonnement international » (*Les Affaires*, 9 septembre 1995) ; là, que « le Canada a l'œil sur le marché asiatique en expansion » et « entend attirer des acheteurs » (*Le Devoir*, 6 septembre 1996). On peut lire aussi que nos entreprises, dont Bombardier, sont attirées là-bas pour prendre une part « au lucratif marché canadien des pièces de moteur d'avion » (*La Presse*, 6 août 1997).

Bref, ça crée de l'emploi et c'est tout ce que vous avez besoin de savoir.

Au Canada anglais, la situation diffère un peu, surtout en Colombie-Britannique. C'est que, là, le public est tout près. Résultat ? On ne parle pas non plus de ventes d'armes, mais d'un « bénin divertissement familial », comme l'a constaté le politologue Ron Dart, qui a étudié la présentation de l'événement dans les médias.

En d'autres mots, le petit Johnny peut dire : « Oh, le joli avion bombardier, maman. »

Mais surtout pas : « Dis, papa, c'est un enfant comme moi qui recevra ce missile sur la gueule ? »

Concluons. Les phénomènes de dichotomie de l'information sont fort intéressants à étudier. Mais, dans certains cas, ces études sont carrément impossibles parce qu'aucune information ne filtre.

L'exode des cerveaux

FIN 1998, *La Presse* publie divers reportages sur des Québécois qui se sont exilés aux États-Unis. Essentiellement anecdotiques, ces articles permettent néanmoins au chroniqueur économique du journal, Claude Picher, d'annoncer le 6 octobre de cette même année deux thèmes qui vont, au cours des mois suivants, constituer une dimension dominante de ses savantes analyses. *Primo* : le phénomène que ces reportages mettent en évidence, celui de l'exode de Québécois (plus précisément : de « cerveaux » québécois ou canadiens), est bien réel et très grave ; *secundo* : pour résoudre un problème de cette ampleur, il faudra impérativement s'attaquer à sa cause, à savoir la terrifiante fiscalité québécoise, ce mal absolu, ce « cauchemar » s'exerçant « à un niveau abusif » et engendrant un véritable « massacre ».

Si la rhétorique démagogique du chroniqueur ne connaît guère de bornes quand il s'agit de décrire ce monstre qu'est l'impôt (« l'enfer fiscal québécois », volontiers envisagé du point de vue de « Jos Public » « s'arrachant le cœur » pour payer d'abusifs et criminels prélèvements qui, semble-t-il, ne servent qu'à payer les erreurs et caprices de fonctionnaires grassement payés qui « garrochent par les fenêtres » des milliards...), c'est en grande partie le thème de l'exode des cerveaux qui va l'alimenter pendant plus d'un an.

Le 16 février 1999, un premier chiffre apparaît, mais sans qu'aucune source ne soit donnée ni qu'aucune étude ne soit citée. Cependant, on sait aussi qu'à cette date, des « recherches » des *think tanks* patronaux et des institutions dominantes ont paru et commencé à peser de tout leur poids dans l'opinion. Picher écrit ce jour-là en une formule qui condense ce qu'il répétera ensuite pendant des mois et des mois et souvent dans les mêmes termes :

> Les impôts abusifs ralentissent la consommation et contribuent à maintenir le chômage élevé. Ils démotivent les travailleurs et entraînent des pertes de compétitivité. Ils alimentent l'exode des cerveaux. En 1996, plus de 52 000 Canadiens, pour la plupart des travailleurs hautement qualifiés, ont quitté leur pays pour accepter un emploi aux États-Unis. Rien ne permet de supposer que l'hémorragie a diminué depuis ce temps ; ce serait plu-

tôt le contraire. Ces pertes, pour le Canada, ont des conséquences incalculables.

Le 17 février 1999, le même chiffre est repris et le régime fiscal est désigné comme responsable de cette « véritable tragédie ». Le thème est ressassé à de nombreuses reprises tout au long de l'année. Des chroniques martèlent inlassablement le même discours : le 13 mars, le 15 avril, le 19 juin, le 17 juillet, le 2 novembre et le 31 décembre. Ces chroniques autorisent de nombreuses variations autour du paradis fiscal américain ou ontarien : c'est que si l'enfer fiscal québécois fait fuir les cerveaux, ils sont irrésistiblement attirés vers le paradis fiscal.

La campagne de propagande – il faut bien appeler les choses par leur nom – atteint son paroxysme au milieu de 1999 et se poursuit jusqu'au début de l'année 2000. Aucune source n'est citée à l'appui de ce qui est avancé, mais des chiffres sont donnés concernant la « véritable tragédie » qui nous afflige. On peut raisonnablement penser qu'ils sont inspirés de ces études « objectives » que déversent alors dans l'opinion le Conference Board et l'institut CD. Howe. Le 15 avril 1999, Picher répète encore : « En 1996, on sait que 52 000 Canadiens [...] se sont exilés aux États-Unis pour y occuper un emploi. » Ces exilés, cela va sans dire, sont la « crème » de la société, de hauts salariés, des chercheurs, des cadres, des professionnels : bref, du précieux capital humain, des individus rentables, les seules personnes qui importent vraiment. Le chiffre de 52 000, quant à lui, semble tiré d'un chapeau. Notons simplement que le C.D. Howe parlait de 30 000 personnes et le Conference Board de 60 000 en 1997 et même de 98 000 en 1998 – pourquoi pas ? puisque, comme on le verra, ces chiffres sont du vent.

Des voix discordantes se font bientôt entendre, notamment au gouvernement (Statistique Canada) et dans le milieu de l'enseignement supérieur (Association canadienne des professeurs d'université), qui mettent sérieusement en doute la réalité du phénomène ainsi que l'explication qui en est typiquement proposée. Le 17 juillet, Claude Picher signe donc un texte qui prétend se situer dans une perspective historique de longue durée et au-delà du débat conjoncturel (présenté comme de « l'agitation ») entre ceux qui assurent le phénomène bien réel et ceux qui le mettent en doute. Cette stratégie rhétorique permet de donner l'illusion de se maintenir, en toute objectivité, au-dessus de la mêlée. Elle aboutit toutefois aux mêmes pitoyables conclusions, fondées sur les mêmes pitoyables arguments, mais proférées avec la même tranquille assurance : « En sept ans, entre 1990 et 1996, le nombre annuel de professionnels et cadres canadiens qui quittent leur pays pour s'installer aux États-Unis sera, en moyenne, de 63 % plus élevé qu'au cours des sept années précédentes. » À l'évidence, dans ces conditions, il ne peut s'agir que d'une « saignée » dont « l'accélération », hier encore présentée comme une simple hypothèse, ne fait désormais « aucun doute ». Car la propagande ignore le doute et c'est toujours bardée de certitudes qu'elle avance. Le coupable, encore une fois, est bien connu, là encore avec la plus entière certitude : « La lourdeur du fardeau fiscal contribue sans aucun doute à alimenter l'exode. »

Aucun doute ne sera donc plus permis et les mêmes affirmations péremptoires vont être répétées comme autant de faits indubitables. C'est ainsi que la liste des calamités induites par l'enfer fiscal devra désormais impérativement nommer l'exode des cerveaux : « La lourdeur des taxes et des impôts [...] alimente l'exode des cerveaux. C'est un désastre sur toute la ligne. » (19 juin 1999) « [...] l'abominable fardeau fiscal des Canadiens [...]. Les impôts élevés, au Canada [...] alimentent l'exode des cerveaux [...] » (31 décembre 1999) et le pays « n'a d'autre choix que de baisser les impôts ». (29 février 2000)

La formule avec laquelle tout est dit a été trouvée : l'exode des cerveaux est alimenté par l'enfer fiscal. Entre octobre 1998 et mars 2000, le thème revient à 33 reprises sous la plume du chroniqueur !

Le 14 mars 2000, pour un ultime tour de piste, le clown refait son numéro : « [...] la fiscalité abusive [...] alimente l'exode des cerveaux. »

Puis, plus rien.

C'est qu'entre-temps deux études, l'une de l'Observatoire des sciences et des technologies (OTS) et l'autre de Statistique Canada, ont démontré que le flux migratoire des cerveaux n'est aucunement unidirectionnel et que ses dimensions sont très modestes. L'enquête de l'OTS montre que, si on tient compte des départs et des arrivées des professeurs et des chercheurs universitaires, la perte annuelle finale est de 0,1% ! Dans les entreprises privées, c'est encore moins. Et l'impôt, qui était sinon le seul du moins le principal facteur allégué pour expliquer ce phénomène dont on sait désormais qu'il est inexistant, l'impôt, donc, n'a compté que marginalement dans la décision de l'infime minorité de ceux et celles qui sont effectivement partis. Commentant leur étude, les auteurs (Yves Gingras, Benoît Godin et Jean-Pierre Robitaille) soulignent le fait – crucial mais aussi prévisible – que le bourrage de crâne médiatique auquel Picher a apporté une si précieuse contribution a fait en sorte que, en septembre 1999, 76% de la population québécoise était persuadée de l'existence du phénomène [1].

Au terme de l'étude la plus longue et la plus détaillée consacrée à la question, Statistique Canada assure, pour sa part, que « ce qu'on a appelé l'exode des cerveaux n'existe pas ». Mieux : son enquête démontre qu'au cours des années 1990 le flux migratoire vers les États-Unis a été moindre qu'au cours des décennies antérieures.

Fin (provisoire) de l'épisode, donc. Mais puisqu'il est certain que la propagande va trouver de nouvelles avenues pour ses avancées, il vaut la peine d'en tirer quelques enseignements. Je me bornerai à quelques remarques élémentaires.

D'abord, il est rare que le phénomène de la manipulation des esprits dans les médias, par et au nom des intérêts privés et des institutions dominantes, se laisse observer avec autant de transparence. Nous sommes ici devant un cas tout à fait exemplaire et qui devrait devenir un cas d'école afin de montrer quelles forces sont à l'œuvre pour contrôler l'opinion et comment elles opèrent.

Ensuite, il faut noter la vacuité des arguments invoqués. Les écrits de Claude Picher

1. *Le Devoir*, mai 2000 ; et www.ost.uqam.ca.

sur le sujet sont à cet égard remarquables. L'absence quasi complète d'études, de chiffres et de sources minimalement fiables débouche aussitôt sur un examen de la question supposée urgente et primordiale, mais dans une perspective à ce point biaisée qu'elle interdirait de toute façon d'en prendre la mesure. L'impôt, d'emblée, est un mal ; l'exode, posé comme réel, n'est jamais envisagé comme pouvant bien être un phénomène normal (compte tenu, par exemple, de la plus grande mobilité des classes plus instruites) et que d'autres facteurs viendraient compenser (afflux de cerveaux). Bref, derrière l'écran de fumée de la rhétorique alarmiste et démagogique, derrière les anecdotes données pour concluantes, derrière les formules-chocs, il n'y a, rigoureusement, rien.

À moins de s'appeler Jean-Paul Sartre, on ne disserte pas longtemps sur le Néant. Concluons donc. Tout ceci nous rappelle, une fois de plus et si besoin était, l'importance de rester résolument critique. Car, au fond, et selon la belle expression des auteurs de l'étude de l'OTS, toute cette histoire a concerné bien moins l'exode que la manipulation des cerveaux.

La boîte à crétiniser version Radio-Canada

Je ne m'informe plus par la télé. Depuis longtemps déjà, j'en suis venu à la conclusion que regarder le téléjournal est, au mieux, une phénoménale perte de temps. Pensez-y : combien peut-on lire de textes durant la demi-heure que dure le ronron télévisuel ? Dans le même laps de temps combien de mots lus dans un cas pour combien de mots entendus dans l'autre ?

Quand j'ai abandonné le téléjournal, il y a des années, j'en étais arrivé, très subjectivement je le reconnais, à la conclusion que ce qui y était raconté était trop souvent sans intérêt ou sans importance ; tandis que les choses importantes et intéressantes étaient tues. Je trouvais que la formule du nihilisme philosophique le décrivait plutôt bien : ce qui y est ne doit pas y être ; ce qui doit y être n'y est pas.

Que cela soit vrai pour les chaînes privées d'information n'a rien pour étonner qui est familier avec le modèle propagandiste des médias. Que cela le soit aussi de la télévision d'État n'étonne pas vraiment mais ne cesse d'attrister. Qu'en est-il exactement ?

N'écoutant que mon courage que j'ai pris à deux mains – car il en faut – j'ai allumé la télé. C'était le lundi 19 février 2001. J'écoutais Radio-Canada. Pour faire sérieux, je tenais aussi à la main ma montre (ça fait trois mains, dites-vous ? Ah bon !), j'avais mis les lunettes de mon papa, moi qui d'habitude n'en porte pas, et revêtu un sarrau blanc. Ma blonde est entrée en me demandant ce que je faisais là. J'ai expliqué que je me livrais à une importante étude sur la dangerosité de la télé pour la démocratie. Elle m'a dit que si je me mettais à écouter autre chose que les *Simpson* elle s'abonnerait à *La Presse* et me lirait à haute voix tous les éditoriaux. J'ai tenu bon. C'est un exercice que je recommande à tout le monde. Seule la montre est indispensable – les lunettes et le sarrau n'ont pas eu l'effet escompté. Restons-en au niveau des faits.

Au téléjournal, ce soir-là, on avait donc ceci.

On ouvre sur les clips de ce qui va suivre, ce qui dure environ une minute : les durées étant aussi précises que mes moyens le permettaient. Ce soir on vous parlera de... roulement de tambour : la mort de Trenet (20 secondes) ; les fusions municipales (7 secondes) ; on aura une avalanche en direct (10 secondes) ; au *Point*, on causera des motards (10 secondes).

Premier sujet : Trenet. Topo du présentateur sur Trenet : 26 secondes. Reportage sur le chanteur : 2 min 45 sec. Retopo sur le même sujet, mais vu du Québec : 15 secondes. Rereportage sur le même sujet, 2 min 35 sec. Retopo sur Trenet pour dire qu'on en parlera au *Point* : 25 secondes. Les sept premières minutes ont été consacrées à Trenet, qui est mort – vous ne le saviez pas ?

Deuxième sujet : un prêt accordé à une auberge dans la circonscription électorale du premier ministre Jean Chrétien. Topo, reportage qui montre un courageux journaliste qui attaque Stockwell Day, lui-même pas très propre côté magouilles : 2 min 30 sec en tout.

Troisième sujet : les fusions municipales. Topo, reportage, retopo : 2 min 10 sec.

Quatrième sujet : le procès des motards criminalisés et la difficulté de choisir les jurés. Topo, reportage : 2 min.

C'est le moment de la pub. Non ? Si ! Il y a de la pub au téléjournal. Deux minutes de pub pour commencer. Les placements en bourse, une voiture, IBM, un peu de culture, les placements en bourse.

Cinquième sujet : un dangereux criminel arrêté. Il habitait chez une dame rencontrée via Internet. Reportage : soyez prudents sur le ouèbe, les cocos. Total : 2 min 15 sec.

Sixième sujet : la compagnie Nortel est tombée. Mais, reportage : le président de Nortel a donné une conférence aujourd'hui même, il a rassuré les investisseurs, en voici d'ailleurs un tout rassuré, soyez rassurés. 2 minutes.

Septième sujet : Technicolor investit chez nous des millions de dollars. Tout plein d'emplois créés ! 25 secondes.

Huitième sujet : Ottawa va assainir l'air, notre gouvernement œuvre à contrer les émissions de gaz des voitures. Dormez en paix, citoyens : le gouvernement veille. 20 secondes.

Neuvième sujet : une grève a pris fin. 15 secondes.

La météo. Demain, il ventera (il me semble que c'était ça). 35 secondes. Au *Point*, on causera des jurés au procès de motards : 10 secondes. Repub. Investissez à la bourse. Achetez une voiture. Investissez donc à la bourse. Un peu de culture. Gnagnagna. 2 min 30 sec.

Dixième sujet. On passe à l'international – et on fermera tout de suite le dossier avec ce seul et unique sujet : les otages ont été libérés au Brésil ; des prisonniers sont morts dans la mutinerie. 25 secondes.

Avalanche en Gaspésie. Ça a bardé, on va vous le montrer. 1 min 40 sec.

Le téléjournal est fini. Passons au *Point*. Topo et reportage sur les jurés au procès des Hell's Angels. 7 min 30 sec (enfin, il me semble, car je me suis endormi un peu).

Rerepub. 2 min 30 sec. L'industrie pharmaceutique vous fait des pilules. Investissez en bourse – z'avez pas encore compris ? Rerevoiture.

Trenet. On ressort des extraits d'une entrevue réalisée en 1993. Environ 10 minutes. Rerepub. Rererevoiture ; pharmacie ; informatique ; *La Fureur*.

Il est 22 h 40. On passe aux sports et à la météo. Je demande grâce. Ma blonde revient. Heureusement, les *Simpson* commencent dans 20 minutes.

C'est la télé d'État, ça. Ils se foutent de nous.

Quelque 40 minutes d'info entrecoupées de neuf minutes de pub. C'est monstrueux. Battez-vous. Battons-nous. Disons non à ça. Journalistes, portez un brassard noir. Public, écrivez. Pétitionnons. Plus de pub aux informations à la télévision d'État. Non, non et non à cette sordide farce.

Ensuite – et c'est un fou de chanson et de poésie qui parle ici – les artistes qui meurent : à la fin du téléjournal. En 30 secondes ou une minute. À la télé, il y a bien d'autres lieux pour offrir un hommage. Trenet, ce lundi, a eu droit à 17 minutes sur les 40 qu'ont duré les nouvelles. La pub, elle, a eu droit à neuf minutes.

Donnez-moi aussi de l'information internationale. C'est votre rôle. Il se passe des tas de choses dans le monde : racontez-nous ; expliquez-nous. Inqualifiable qu'il n'y en ait pas ce soir-là. Surtout, décentrez-nous. Sortez-nous de ce qu'on entend et voit partout. Même lorsque vous abordez des sujets qui doivent l'être, ce qui était le cas avec les jurés ou les affaires Chrétien et Day ce soir-là.

Non à ces ficelles grosses comme des câbles pour faire du *Allô Police* ou du *Paris Match*. Non aux faits divers. Non à ici, maintenant, près de nous, à tout ce que tout le monde sait et comprend déjà. Non et encore non à l'immédiat, au vécu. Instruisez-moi. Éduquez-moi. Sortez-moi de moi. Donnez-moi d'autres repères, d'autres manières de voir, d'autres points de vue – que celui du président de BCE, par exemple, nom d'une pipe. Aidez-moi à produire du sens. Ne me fourrez pas le nez dans la même pourriture qu'on me fait renifler partout, sans arrêt.

Ce jour-là, le 19 février, il se passait pourtant, comme à chaque jour, des choses importantes dont il était de votre devoir de m'informer.

En vrac. Une importante conférence s'était tenue sur les pêches. Son message était d'une grande urgence : on est en passe d'épuiser la mer. Le GIEC, de l'ONU, remettait son rapport. Son message : le réchauffement planétaire est un phénomène réel et dramatiquement sérieux.

Côté libre-échange, Ottawa cachait toujours les textes du Sommet de Québec. C'est là une donnée dont la portée démocratique est impossible à minimiser.

Irak : le Canada donnait son appui aux récents bombardements américains. (Cela signifie que nous sommes, nous citoyens, les complices, depuis 10 ans, d'un monstrueux génocide.)

Et ainsi de suite.

Refusons de laisser une institution qui pourrait avoir une réelle importance se situer et se définir dans une logique économique de réponse à une demande : le téléjournal ne peut que s'inscrire dans une logique d'offre culturelle et pédagogique.

Mais, pour le moment, et ce soir-là encore, le téléjournal se fout royalement de nos gueules.

Et cela – on regrette de devoir répéter de tels truismes –, c'est très dangereux pour la démocratie.

Sur l'anarchisme

Affirmez que vous êtes anarchiste et presque immanquablement on vous assimilera à un nihiliste, à un partisan du chaos, voire à un terroriste.

Or, il faut bien le dire : rien n'est plus faux que ce contresens, qui résulte de décennies de confusion savamment entretenue autour de l'idée d'anarchisme. Les dictionnaires ne sont pas en reste et ils véhiculent largement la même prénotion, le même préjugé. « Désordre résultant d'une absence ou d'une carrence d'autorité » : voilà ce que serait l'anarchie selon le *Robert*.

« Absence [an] de gouvernement [archie] et par suite désordre et confusion », assure le *Littré*, tandis que le *Larousse* conclut que « la doctrine anarchiste offre un singulier mélange d'illuminisme désintéressé et de violence aveugle ou brutale ».

On ne saurait faire pire en si peu de mots.

Mais qu'est-ce donc que l'anarchisme, s'il n'est rien de tout cela ?

L'anarchisme se définit étymologiquement comme [an-] (privatif) [archos] (pouvoir, commandement ou autorité) ; il est donc, littéralement, l'absence de pouvoir ou de gouvernement. Ceci ne signifie ni confusion ni désordre, si l'on admet simplement qu'il y a d'autres ordres possibles que celui qu'impose une autorité. Voici, exprimé le plus simplement possible, ce qu'affirme d'abord l'anarchisme. Cet ordre en l'absence de pouvoir, les anarchistes pensent qu'il naîtra de la liberté, de la liberté qui est la mère de l'ordre et pas sa fille, comme l'affirmait Pierre-Joseph Proudhon. Pour le dire autrement, l'anarchisme repose sur l'idée que le désordre pourrait bien n'être que l'ordre moins le pouvoir, selon le beau mot de Léo Ferré.

Les anarchistes insistent tous sur cet aspect antiautoritariste de leur théorie. Par exemple, Sébastien Faure : « Quiconque nie l'autorité et la combat est anarchiste » ; ou Proudhon : « Plus d'autorité, ni dans l'Église, ni dans l'État, ni dans la terre, ni dans l'argent. » On multiplierait aisément les citations et j'ai, pour ma part, rencontré un jour une vieille dame ayant combattu lors de la guerre d'Espagne et qui me disait simplement : « Je suis anarchiste : c'est parce que je n'aime ni recevoir ni donner des ordres. »

On le devine : pour tous les pouvoirs, cette idée est impardonnable, cet idéal, inadmissible. On ne l'a ni pardonné ni admis.

Comme première approximation, on peut donc dire ceci : l'anarchisme est une théorie politique au cœur vibrant de laquelle loge l'idée d'antiautoritarisme, c'est-à-dire le refus conscient et raisonné de toute forme illégitime d'autorité et de pouvoir. Dès lors, la question devient, bien sûr, de savoir ce qui constitue un pouvoir illégitime. Car il va sans dire qu'il y a bien des pouvoirs et des formes d'autorité qui passent le test de légitimité que les anarchistes sont enclins à leur faire subir. Georges Brassens affirmait ainsi : « Je suis tellement anarchiste que je fais un détour pour passer au passage clouté ! »

Quelles sont donc ces formes de pouvoir et d'autorité légitimes ? Pourquoi le sont-elles ? Il n'y a pas de réponses simples ou définitives à ces questions, d'autant moins que l'anarchisme pense aussi que les avancées de la liberté conduisent bien souvent à rétrécir le champ des formes de pouvoir légitimes et donc à refuser d'accorder aujourd'hui une légitimité à ce qui était hier encore perçu comme justifiable.

Tirant toutes les conséquences, aussi bien théoriques que pratiques, de cet antiautoritarisme, l'anarchisme est encore un amour fervent de la liberté et de l'égalité qui débouche sur la profonde conviction – je devrais plutôt dire sur l'espoir – que des relations librement consenties sont les plus conformes à notre nature, qu'elles sont seules aptes à assurer une organisation harmonieuse de la société et qu'elles constituent donc, en dernière analyse, le moyen le plus adéquat de satisfaire ce que Pierre Kropotkine appelait « l'infinie variété des besoins et des aspirations d'un être civilisé ».

L'anarchisme affirme parfois tout cela dans un climat passionnel au sein duquel la révolte occupe une place considérable. Cette révolte, dirigée contre toutes les formes illégitimes d'autorité (*Ni Dieu ni maître !*), porte, de manière prépondérante mais non exclusive, sur l'État qui est tenu pour une forme supérieure et particulièrement puissante et néfaste de l'autorité illégitime.

Selon le point de vue qu'on privilégie, on pourra dire que cette théorie est très ancienne ou plutôt récente.

Très ancienne, elle le serait dans la mesure où certaines des composantes de l'anarchisme sont repérables, avec une remarquable constance, chez des auteurs et des mouvements sociaux et politiques très éloignés de nous à la fois dans le temps et dans l'espace. C'est d'ailleurs pour des raisons de cet ordre que certains anarchistes soutiennent, de façon hasardeuse peut-être, que si l'anarchisme est une constante de l'histoire humaine, c'est précisément qu'il met en jeu des données appartenant de manière fondamentale et essentielle à notre « nature ». Quoi qu'il en soit, des sociétés sans État ont été décrites non seulement par l'anthropologie contemporaine, mais aussi par les esséniens, les anabaptistes, et des personnalités aussi diverses que Lao-Tseu, Diogène, Zénon, Spartacus, Étienne de La Boétie, Thomas Münzer, François Rabelais, Gerrard Winstanley, Denis Diderot ou Jonathan Swift, tous ces gens-là figurent au nombre des précurseurs que les anarchistes se reconnaissent le plus volontiers. Et il est vrai, pour ne m'en tenir qu'à cet exemple, que Diogène, ce cynique de l'Antiquité grecque, portant un idéal de fraternité et de rationalisme, habitant dans son tonneau et répondant au puissant conquérant Alexandre le Grand qui lui offrait absolument tout ce qu'il pouvait désirer : « Ôte-toi de mon soleil », que ce Diogène-là, donc, apparaît bien comme un lointain semblable à plus d'un anarchiste.

Mais l'anarchisme est aussi une donnée beaucoup plus récente de l'histoire et, cette fois, dans la mesure où sa formulation explicite et conséquente n'advient qu'avec la Révolution française – le mot anarchisme lui-même n'apparaissant pour la première fois que chez un auteur français, Pierre-Joseph Proudhon, au XIXe siècle.

Pour certains théoriciens, l'anarchisme est une tendance permanente de l'histoire de l'humanité, inscrite en quelque sorte dans la nature humaine. Kropotkine, un des plus importants théoriciens de l'anarchisme, est de ceux-là. En 1910, dans un célèbre article de présentation générale de l'anarchisme paru dans l'*Encyclopædia Britannica*, il avance que, dans toute l'histoire de l'humanité, on constate une opposition entre une tendance anarchiste d'un côté et une tendance hiérarchique de l'autre.

Mais en admettant cette hypothèse d'un anarchisme « éternel », si l'on peut dire, il reste à essayer de comprendre l'apparition de l'anarchisme « historique » qui surgit dans la deuxième moitié du XIXe siècle. Comment en expliquer l'avènement ? Quelles influences ont joué pour que l'anarchisme apparaisse alors et dans les formes nombreuses et multiples qu'il prit à partir de cette époque-là ?

Il n'est pas facile de répondre à ces questions. D'autant moins que l'anarchisme est un courant d'idées riche et varié, et qu'en en retraçant l'histoire on est amené à évoquer les principaux mouvements de lutte sociale et politique des deux derniers siècles et à se référer à la plupart des grands courants d'idées qui ont marqué l'Europe – puis le reste du monde – au cours de cette même période. L'anarchisme a emprunté à bon nombre de ces courants et s'est nourri de la plupart de ces mouvements. On ne s'étonnera donc pas qu'aient été proposées une multitude de généalogies de l'anarchisme. Avant d'aborder la question des sources de l'anarchisme historique, rappelons d'abord ses principales tendances – parfois très éloignées les unes des autres, voire, dans certains cas ou du moins sur certains plans, opposées entre elles.

Dès le XIXe siècle, on distingue couramment anarchisme individualiste d'une part et anarchisme social de l'autre.

Le premier courant, celui de l'anarchisme individualiste, a d'abord été présenté et défendu par Max Stirner. Hormis aux États-Unis où sa descendance fut nombreuse et variée, cette tendance de l'anarchisme n'a pas eu l'importance historique de l'anarchisme social. Il faut néanmoins dire, pour être juste, que sa contribution à cet archipel d'idées qu'est l'anarchisme a été significative.

L'anarchisme social regroupe la plupart des anarchistes, mais il faut encore distinguer entre collectivistes, communistes et syndicalistes : ces nuances apparaissent sur la question des moyens permettant d'atteindre l'idéal souhaité mais aussi sur la définition de cet idéal lui-même.

Le XIXe siècle verra l'anarchisme s'enrichir de nouvelles tendances et imposer de nouvelles distinctions, comme autant de perspectives et de points de vue, de thèmes et d'inflexions de la pensée ou de l'action sur lesquels l'accent est susceptible d'être mis. Rappelons-en les principaux.

Avec Léon Tolstoï apparaît un anarchisme religieux, à première vue fort étonnant si l'on considère qu'en général l'anarchisme est volontiers athée ou, à tout le moins agnostique, et que l'anarchisme, celui de Bakounine en particulier, est un des systèmes de pensée les plus radicalement anticléricaux que l'humanité ait connus.

Existe également un anarchisme pacifiste, qui a été lui aussi souvent inspiré de Tolstoï. Défendu magistralement par Domela Nieuwenhuis pendant la Première Guerre mondiale, cet anarcho-pacifisme a eu quelques descendants.

L'anarcho-féminisme, avancé et défendu d'abord par Emma Goldman, prendra de plus en plus d'importance tout au long du XXe siècle et particulièrement de nos jours.

L'anarcho-syndicalisme fut un mouvement important et fécond. L'anarchisme écologiste, dont Murray Bookchin est aujourd'hui le représentant le plus connu, occupe à présent une place prépondérante. On doit aussi à

Bookchin la récente école du municipalisme libertaire.

Ajoutons enfin, pour conclure ce rapide tour d'horizon, qu'une âpre querelle se déroule aujourd'hui entre les tenants des courants que nous venons d'évoquer et les récents anarcho-capitalistes – qui, selon les premiers, se réclament à tort de l'anarchisme et en particulier de l'anarchisme individualiste.

On ne s'étonnera pas que les sources de l'anarchisme soient aussi nombreuses et variées que le mouvement lui-même et que plusieurs généalogies concurrentes aient pu en être proposées. Parmi de nombreuses relectures historiques, je retiendrai ici celles d'Henri Arvon et de Noam Chomsky, qui me semblent tout particulièrement éclairantes.

Arvon expose la position la plus courante en situant l'anarchisme dans le prolongement de la Révolution française, c'est-à-dire d'un mouvement révolutionnaire de masse. Perspective séduisante, puisque toute l'histoire de l'anarchisme fut effectivement ponctuée par de tels mouvements, qui en sont à bien des égards à la fois le moteur et la source d'inspiration. Mais cette référence à la Révolution française renvoie surtout à un certain état de civilisation et de formulation des problèmes sociaux et politiques. Pour le dire le plus simplement possible, la dialectique est la suivante : la Révolution française porte à son terme un mouvement de la modernité amorcé de longue date en Occident (disons depuis la Renaissance) et qui cherche à problématiser les conditions de la légitimité de l'État et, plus généralement, du pouvoir politique. Ce mouvement, que ponctuent diverses théories (théorie du contrat social, du droit naturel, du droit divin, etc.) s'accompagne en outre – et ceci est crucial – d'une progressive autonomisation et valorisation de l'individu. Au total, on argue que la Révolution française permet de mettre à jour, de manière exemplaire et emblématique, la contradiction entre, d'une part, l'État qui prône abstraitement la liberté, l'égalité et la fraternité et, d'autre part, la société que l'État prétend faussement servir, et qui se caractérise par l'inégalité (entre autres économique), la servitude des uns mis au service des autres, la lutte des uns contre tous les autres.

Que signifie l'anarchisme dans ce contexte ? Il est une réaction antiautoritariste et antiétatiste qui supprime la contradiction entre État et société en niant radicalement l'un des deux termes : l'État. L'anarchisme imagine donc une société sans État, une réunion libre d'êtres libres, égaux et fraternels. Né de la prise de conscience de la contradiction entre État et société que met à jour de manière exemplaire la Révolution française, l'anarchisme serait donc, dans sa dimension négative, la volonté de supprimer l'État et, dans sa dimension positive, la volonté de reconstruire une société libre, égalitaire et fraternelle.

À l'appui de cette thèse, on peut rappeler les exigences réelles de démocratie directe, de liberté et d'égalité qui ont, de fait, été explicitement formulées au cours de la Révolution française. C'est le cas notamment de la Conspiration des Égaux, à laquelle le nom de Gracchus Babeuf (1760-1797) reste attaché – « Disparaissez révoltantes distinctions de riches et de pauvres, de grands et de petits, de maîtres et de valets, de gouvernement et de gouvernés » – ; mais aussi, et plus encore peut-être, dans ce mouvement des Enragés que le Directoire appela justement « anarchistes » et dont Jacques Roux reste la figure la mieux connue : « Le despotisme du Sénat est aussi terrible que le sceptre des rois : il enchaîne les gens à leur insu, les brutalise et les subjugue par des lois qu'ils sont censés avoir conçues. »

Cette reconstruction historique est commode, mais elle me paraît aussi occulter une part substantielle de ce qui donne à l'anarchisme certains traits de caractère qui lui sont propres. Pour la compléter, on peut se tourner vers Noam Chomsky, qui propose pour sa part une autre généalogie de l'anarchisme.

Selon Chomsky, le principe anarchiste trouve un de ses éléments essentiels et une de ses formes les plus significatives en Bakounine, plus précisément dans l'exaltation par ce dernier de la liberté définie comme condition essentielle du déploiement et du développement « de l'intelligence, de la dignité et du bonheur humains ». L'anarchisme développe un concept de liberté qui s'oppose à la liberté consentie et mesurée par l'État ; il invite à concevoir une définition beaucoup plus large et infiniment plus riche de la liberté. Cette dernière n'est pas enfermée dans un cadre fixe et clos, elle ne se réduit pas à la seule liberté négative qui consisterait à n'être pas entravée, mais elle est appelée à s'élargir infiniment lorsque des structures oppressives sont découvertes : l'anarchisme porte donc aussi l'exigence de lutter contre ces nouvelles limites à la liberté, sans cesse mises à jour. Ce que Chomsky exprime en présentant l'anarchisme comme « cette tendance, présente dans toute l'histoire de la pensée et de l'agir humains, qui nous incite à vouloir identifier les structures coercitives, autoritaires et hiérarchiques de toutes sortes pour les examiner et mettre à l'épreuve leur légitimité ; lorsqu'il arrive que ces structures ne peuvent se justifier – ce qui est le plus souvent le cas –, l'anarchisme nous porte à chercher à les éliminer et à ainsi élargir l'espace de la liberté ».

Mais il y a plus. Selon lui, ces idées sont également à rattacher au rationalisme du XVIIe siècle, à Descartes notamment, dont il s'inspire dans sa rénovation de la linguistique. Chomsky avance encore, de manière très convaincante, que ces idées sont éminemment celles du siècle des Lumières, où on les retrouve exprimées par Jean-Jacques Rousseau (1712-1778) dans le *Discours sur l'origine et les fondements de l'inégalité parmi les hommes*, et par Wilhelm von Humboldt (1767-1835) dans l'*Essai sur les limites de l'action de l'État*. Le concept de liberté qui émerge alors est celui qu'Emmanuel Kant (1724-1804) précise en rappelant que la liberté est « la précondition à l'acquisition de la maturité nécessaire à l'exercice de la liberté et non un don qu'on ne reçoit qu'une fois cette maturité acquise ».

Chomsky lie enfin l'anarchisme aux idées du libéralisme du XVIIIe siècle, « au libéralisme originel, souligne-t-il, celui qui sera brisé par le capitalisme industriel et auquel sera substituée la reconstruction idéologique en circulation de nos jours ». L'anarchisme ressort ainsi de cette opposition des libéraux à l'État et à l'Église et qui conduit progressivement à l'idéal socialiste puis, se radicalisant, à l'idéal anarchiste, au socialisme libertaire prônant tout à la fois la liberté et l'égalité. Nous retrouvons donc Bakounine : « La liberté sans le socialisme conduit à des privilèges et à l'injustice ; le socialisme sans la liberté conduit à l'esclavage et à la brutalité. »

Ces deux hypothèses omettent cependant une dernière source des positions anarchistes, laquelle jouera un certain rôle dans l'apparition de ces idées, mais plus encore dans la forme qu'elles prendront dans la seconde moitié du XIXe siècle. Cette dernière source est la philosophie de Georg Wilhelm Friedrich Hegel (1770-1831).

Ce philosophe allemand a construit un ambitieux système (à mon avis verbeux et obscurantiste) qui aboutit à une synthèse, nommée idéalisme philosophique, où figurent en bonne place le christianisme, la monarchie et la culture bourgeoise. À la mort de Hegel, certains de ses disciples dissidents, les hégéliens dits « de gauche », entreprennent de démanteler cette synthèse et d'attaquer chacune de ses parties : là où Hegel décrivait la progressive découverte de la transcendance de l'Esprit, ses jeunes disciples posent l'immanence de l'esprit humain prenant peu à peu conscience de soi. Avec Ludwig Feuerbach (1804-1872), la religion n'est plus que « la relation de l'homme à lui-même » et à la théologie se substitue l'anthropologie. L'anarchisme individualisme de Stirner naîtra de la radicalisation de ce point de vue, qui n'admet plus d'autres horizons que le Moi, l'Unique. Bakounine sera également influencé par l'hégélianisme et, avec lui, une part importante de l'anarchisme social. Notons enfin que l'idée de dialectique, c'est-à-dire, pour reprendre la définition que Hegel en donne dans sa *Logique*, « le mouvement rationnel supérieur, à la faveur duquel ces termes en apparence séparés passent les uns dans les autres, spontanément, en vertu même de ce qu'ils sont, l'hypothèse de leur séparation se trouvant ainsi éliminée » est à la fois le mouvement du réel et celui de la pensée le saisissant, l'un et l'autre s'identifiant dans le système idéaliste de Hegel. On présente souvent cette dialectique comme une triade dont les trois moments sont : affirmation-négation-négation de la négation (ou nouvelle affirmation), destinée à être à son tour niée, et ainsi de suite.

Pour terminer ce survol rapide de l'anarchisme, je rappellerai une anecdote célèbre. En novembre 1889, à Barcelone, un débat brûlant opposa anarchistes communistes et anarchistes collectivistes sur les mérites de leurs positions respectives. Fernando Tarrida del Mármol, un exilé cubain, y mit un terme en appelant à la tolérance. Une fois entendu que le but premier de tous les anarchismes est toujours l'abolition du capitalisme et de l'État et la libre expérimentation en vue d'établir une société libre, affirmait-il, il convient de faire preuve de ce qu'on pourrait appeler de la tolérance théorique sur des divergences de points de vue d'importance secondaire. Mármol concluait en utilisant l'expression désormais célèbre d'« anarchisme sans qualificatif ».

On peut simplement exprimer cette idée en disant que l'anarchisme, et c'est tant mieux, n'est pas une appellation d'origine contrôlée, qu'il n'existe aucun droit de propriété sur ce concept et qu'il reste une théorie ouverte et appelée à se transformer encore. Je soutiendrais volontiers que l'anarchisme n'est vivant et digne d'intérêt qu'à la condition de respecter cette ouverture et de permettre ces transformations.

Précisions sur l'anarchisme

Bien des gens aimeraient mieux mourir plutôt que de penser. Et c'est d'ailleurs ce qu'ils font pour la plupart...

Bertrand Russell

Si une théorie vous semble être la seule possible, considérez cela comme une indication que vous n'avez compris ni la théorie, ni le problème qu'elle est supposée résoudre.

Karl Popper

Les gens raisonnables s'adaptent au monde ; les gens déraisonnables persistent à tenter d'adapter le monde à eux. Tout progrès, dès lors, dépend des gens déraisonnables.

George Bernard Shaw

Sitôt qu'on la formule, la position anarchiste voit se lever contre elle une multitude d'objections de toutes sortes. Un grand nombre de ces objections sont tout à fait raisonnables et à certaines d'entre elles, au moins, je ne pense pas qu'il soit facile de répondre autrement qu'en reconnaissant que nous ne savons, hélas, que bien peu de choses, et malheureusement pas assez pour nous prononcer avec beaucoup d'assurance sur telle ou telle question. Je crois même que pour de nombreuses questions, toute autre réponse que celle-là serait fort inquiétante...

Je voudrais justement m'intéresser ici à certaines objections et questions qu'on adresse fréquemment à l'anarchisme et indiquer comment pour ma part j'y réponds quand elles me sont formulées.

J'aborderai tour à tour quatre grands thèmes. Le premier regroupe certaines des objections que soulèvent typiquement les libertariens et, plus généralement, les autres partisans du « marché » contre l'anarchisme. Le deuxième concerne la position anarchiste sur ce qu'on peut appeler le réformisme politique et, plus particulièrement, le rapport à l'État. Le troisième a trait à la violence, sujet sur lequel je tenais, au moins succinctement, à expliciter ici ma position. Le quatrième concerne le nationalisme.

Les libertariens, le « marché » et l'anarchisme

Les libertariens (qu'on ne doit pas confondre avec les libertaires, c'est-à-dire les anarchistes) appartiennent à une école de pensée économique, politique et philosophique contemporaine qui comprend aussi des « anarcho-capitalistes ». Selon eux, une société sans État (ou alors avec un État vraiment minimal...) est possible et souhaitable à condition qu'une telle société soit fondée sur l'extension du mécanisme du marché libre et non entravé à toutes les activités humaines. Dans une telle société, les individus sont égaux devant la loi et libres de conclure des contrats qui font en sorte de les rémunérer selon le cours du marché.

Leurs idées sont exposées et défendues, parfois avec conviction et avec une argumentation serrée, souvent avec clarté. J'ai plus d'une fois recommandé qu'on les lise : il faut se frotter à leur dialectique qui, dans certaines de ses composantes, joue aujourd'hui un rôle réel dans la formulation des politiques qui définissent les institutions au sein desquelles nous vivons.

Les libertariens, fondamentalement, se réclament du libéralisme économique et du libéralisme politique. En économie, ils puisent surtout à l'interprétation du marché donnée par les économistes de l'école autrichienne. Selon les maîtres de cette école, Ludwig von Mises et Friedrich von Hayek notamment, le marché, pur et non entravé par des interventions étatiques, est une « catallaxie », un mode abstrait de gestion d'informations qui produit un ordre spontané optimal qu'aucune organisation ou planification ne saurait espérer atteindre. Dans sa forme abstraite, il présuppose la liberté reconnue à tous et des droits également reconnus à tous : le marché réaliserait donc la justice en même temps que la liberté. Mais, à ce propos, il faut rappeler ce que les libertariens doivent au libéralisme politique.

Au fond et en un mot, une position dite « jusnaturaliste », par laquelle on désigne une conception des droits développée à partir de la pensée de John Locke. Pour aller rapidement à l'essentiel, libertariens et, *mutatis mutandis*, anarcho-capitalistes défendent l'idée que les individus ont un droit naturel (d'où l'expression « jusnaturalisme ») sur leur personne, sur les produits de leur travail ainsi que sur les ressources naturelles qu'ils auraient découvertes ou transformées. Dans leur perspective, la considération d'autres droits est superflue, voire nuisible. Le droit à la vie, par exemple, est essentiellement celui de ne pas être tué, et non pas celui de recevoir les ressources nécessaires au bien-être. Les anarcho-capitalistes et les libertariens tendent donc à s'opposer à ce qu'ils décrivent volontiers comme le paternalisme déresponsabilisant des institutions étatiques, lesquelles sont à leurs yeux coercitives et, de toute façon, inefficaces.

La critique de l'État occupe une part bien réelle dans ce courant d'idées. Murray Rothbard écrit par exemple ceci, que ne désavouerait pas un libertaire :

> Les hommes de l'État se sont notamment arrogé un monopole violent sur les services de la police et de l'armée, sur la loi, sur les décisions des tribunaux, sur la monnaie et le pouvoir de battre monnaie, sur les terrains non utilisés (le « domaine public »), sur les rues et les routes, sur les rivières et les eaux territoriales, et sur les moyens de distribuer le courrier.

Et encore :

> L'impôt est un vol, purement et simplement, même si ce vol est commis à un niveau colossal, auquel les criminels ordinaires n'oseraient prétendre. C'est la confiscation par la violence de la propriété de leurs sujets par les hommes d'État.

Dans la société sans État prônée par les libertariens, des contrats librement conclus entre individus égaux devant la loi et rémunérés selon le marché permettront d'atteindre l'idéal visé. Quant aux inégalités qui en découlent inévitablement, puisque ces inégalités sont tenues pour naturelles, elles ne posent guère de problème aux libertariens : la charité individuelle palliera – si elle le veut bien – leurs plus criants excès.

Débattre du marché avec un libertarien est toujours délicat : c'est qu'on a bien du mal à savoir de quoi il parle. Du marché qu'on analyse et qu'on décrit dans des livres d'économie ? Ou alors de celui qui existe dans le monde réel ? S'il s'agit du mécanisme théorisé par une certaine science économique, alors soyons honnêtes et disons-le franchement : nous avons, à travers quelques mémorables résultats comme le théorème de Arrow, celui de Lipsey-Lancaster ou l'équilibre de Nash, les plus sérieuses raisons de penser que le marché n'a absolument pas les vertus dont les libertariens le parent. En termes simples : le marché n'est pas ce mécanisme optimal qu'on nous chante, il ne donne pas l'équilibre ou, s'il le donne, il ne donne pas la meilleure solution [1].

Mais s'il s'agit plutôt du mécanisme qui prévaut dans le monde réel où nous vivons, là encore, l'économie (j'insiste : pas les anarchistes,

1. Pour un exposé clair et accessible de ces théorèmes et de leur signification, je suggère de lire Bernard Maris, *Lettre ouverte aux gourous de l'économie qui nous prennent pour des imbéciles*, Paris, Albin Michel, 1999.

mais bien l'économie « sérieuse » elle-même) nous indique qu'il a bien des défauts – dont certains très graves – qu'il faudrait prendre en compte avant de le déclarer non pas optimal mais simplement efficace. En fait, une part importante de la littérature économique concernant le monde réel traite justement des échecs du marché (*market failures*), qui empêchent l'allocation optimale des ressources : des échanges inégaux et inefficients sont courants (*adverse selection*), tout comme les externalités (on veut dire par là que la transaction a des effets sur d'autres entités que les contractants : par exemple, Elf pollue et c'est la collectivité tout entière qui subit la pollution et qui, bien souvent, de surcroît, dépollue) ; la compétition est imparfaite et l'information, asymétrique ; les biens publics et quasi publics se rencontrent constamment. Enfin, il arrive que le marché aboutisse à prôner ce qui, le plus souvent, n'est pas jugé sain, ou moral, ou défendable par des êtres humains normalement constitués. Il y a quelques années, un dirigeant de la Banque mondiale a ainsi suggéré, au terme d'un savant calcul « coûts-bénéfices », que l'Occident exporte sa pollution vers le tiers-monde, où l'espérance de vie est de toute façon moindre. On peut accuser cette proposition de bien des choses, mais certainement pas d'incohérence avec les principes du sacro-saint marché.

Mais il y a plus encore : dans le monde réel, le marché qui prédomine tend, dans une large mesure, à être la négation du marché « pur » ou théorisé. En fait, le développement de l'Europe, des États-Unis (de manière particulièrement marquée sous Reagan, frauduleusement présenté comme un apôtre du libre marché) et de l'Asie de l'Est est, dans une substantielle mesure dû (et c'est un truisme de le dire) à la trahison systématique, dans la pratique, des règles que suggèrent la théorie et la doctrine du libre marché. Et pour autant que je sache, la seule tentative de s'approcher d'un marché dérégulé, à la façon de l'Angleterre du XIXe siècle, a abouti à une véritable implosion sociale, la catastrophe décrite par Karl Polanyi dans *La grande transformation*[1].

Ces écarts substantiels entre la théorie et la pratique, il n'est même pas besoin d'être économiste pour les remarquer. Soyons sérieux : est-ce cela le marché, ces corporations transnationales qui sont des modèles d'économie planifiée ? Ces échanges administrés ou intrafirmes qu'on veut nous faire passer pour du libre-échange ? Ces ententes concoctées (souvent en secret) par des États et par ces mêmes corporations ? Est-ce cela

1. Karl Polanyi, *La grande transformation. Aux origines politiques et économiques de notre temps*, Paris, Gallimard, coll. NRF, 1983.

le marché, toutes ces entreprises subventionnées, toujours à se blottir dans les jupes de l'État garant de leurs droits, ces réglementations, ces subventions, ces innombrables mécanismes de socialisation des risques et des coûts qui caractérisent l'ordre économique qui est le nôtre ? On se retient de rire – ou de hurler.

Non seulement on ne sait pas – en tout cas, moi, comme bien d'autres, je n'arrive pas à savoir – de quoi parlent les libertariens ou nos idéologues de service quand ils évoquent le mythique et miraculeux marché, mais on remarque aussi une autre chose étrange dans leur argumentaire : tout ce qui va bien (ou est présumé tel) dans le monde réel est attribué à ce marché, alors que tout ce qui va mal vient de ce que le marché n'est qu'imparfaitement réalisé. Ce procédé d'argumentation est typique des libertariens et Robert Kutner l'a fort bien décrit :

> Au cœur de la célébration des marchés, on trouve une tautologie inlassablement réaffirmée. Si nous assumons d'abord que tout ce qui est peut être considéré comme un marché et que le marché optimise les résultats, alors on est conduit à recommander que tout soit géré comme un marché. Dans l'éventualité où un marché particulier n'optimise pas, on ne peut conclure qu'une chose : c'est qu'il n'est pas assez conforme au marché. C'est là

> un système infaillible pour garantir que la théorie soit bien à l'abri des faits. Par ailleurs, s'il arrive qu'une activité humaine ne se conforme pas à un marché efficient, cela doit nécessairement être la faute d'interférences, qui doivent être éliminées. Mais il ne vient jamais à l'esprit que la théorie ne rend pas adéquatement compte des comportements humains.

Cette dialectique rappelle infailliblement celle des communistes : les mérites de l'économie de l'URSS étaient invariablement dus au socialisme, tandis que ses défauts (et il y avait ici l'embarras du choix) provenaient de ce qu'il n'y avait pas encore assez de socialisme !

Plus de socialisme, plus de planification centrale, disait Staline. Plus de marché, moins d'État, reprennent les libertariens et nos idéologues de service.

Pas tous, avouons-le. Hayek, par exemple, un des maîtres à penser de cette école, a eu quelques sursauts d'honnêteté :

> Il est hors de question que dans une société avancée le gouvernement doive utiliser son pouvoir de réunir des fonds par les taxations pour fournir un certain nombre de services qui, pour toutes sortes de raisons, ne peuvent être fournis ou adéquatement fournis par le marché.

Ou encore :

> Je serais la dernière personne à nier que l'accroissement des richesses et de la densité de la population accroît le nombre de ces besoins collectifs que le gouvernement peut et doit satisfaire.

Le marché – peut-il en être autrement ? – est une construction sociale, politique, avec une histoire : si on prend le temps de s'y intéresser, celle-ci nous enseigne des données extrêmement importantes quoique le plus souvent occultées. Par exemple, que les entreprises, dans une large mesure, doivent leur existence, leur développement, leur puissance et leur légitimité à l'État subventionnaire et à des coups de force juridiques survenus à la fin du siècle dernier qui les ont dotées de « droits » de « personnes immortelles » (*sic* !). À la lumière de tout ce qui précède, on ne s'étonnera donc pas que, si certains aspects de la rhétorique du libre marché, comme la concurrence, la compétition, valent vraiment dans la réalité et pour le monde réel, ce soit pour les petits, pour les pauvres, pour les démunis, pour les sans-voix, pour les sans-défenses.

La question des « droits de propriété », intimement liée à cette construction idéologique, demanderait de longs développements : se prononcer sur ce sujet engage aussi le droit, la morale, la liberté – songez, par exemple, que l'interdiction de l'esclavage a privé les propriétaires d'esclaves de la liberté qui était la leur de posséder des êtres humains. Mais j'irai rapidement à l'essentiel, en m'efforçant de contraster la position anarchiste avec celle de l'actuelle idéologie dominante.

La position qui y prévaut consiste, mutatis mutandis, à soutenir qu'on a des droits naturels à posséder ce qu'on a acquis dans le cadre du marché (naturel ?) et que, par ces droits, on peut en disposer absolument à sa guise. Cette position n'a pas convaincu grand monde, notamment parce qu'elle conduit à des conséquences difficilement tolérables.

Chomsky l'exprime par un exemple fictif, bref et percutant. Supposons, dit-il, que, par chance ou par des moyens tenus pour légitimes par cette théorie, quelqu'un en vienne à contrôler un élément indispensable à la vie. Les autres n'ont d'autres choix que de se vendre à cette personne, si elle le veut bien, ou alors de mourir. Selon la conception libertarienne des droits de propriété et du droit tout court, la société dans laquelle cela se produit serait tenue pour juste. Il faut qu'il y ait un problème avec les prémisses d'un tel raisonnement. Selon moi, selon les anarchistes, il y en a plusieurs, majeurs. Pour en prendre la mesure, considérons, par exemple, le fait que grâce à l'État, la police et les tribunaux, grâce aussi à des instances comme l'OMC, des droits de propriété intellectuelle sont aujourd'hui détenus par des tyrannies privées (bien qu'en grande partie subventionnées par le public) sur des brevets de médicaments. Ces brevets sont responsables de la souffrance et parfois même de la mort de millions de personnes, parce qu'ils empêchent qu'on puisse reproduire ces médicaments – ce qui ne coûterait parfois que quelques sous.

Les droits de propriété, c'est aussi le pillage par les corporations transnationales de la diversité biologique et des richesses naturelles du tiers-monde. C'est aussi le brevetage de la vie. C'est aussi, on peut en être certain, la famine et la mort pour des millions de gens. C'est encore l'obligation pour la plupart d'entre nous de se vendre provisoirement pour vivre. Adam Smith savait cela :

> Le gouvernement civil, écrivait-il, dans la mesure où il est institué pour assurer la sécurité de la propriété, est en réalité institué pour la défense du riche contre le pauvre, de ceux qui possèdent contre ceux qui ne possèdent rien.

Allons plus concrètement dans ce sujet. Amartya Sen, prix Nobel d'économie de 1998, a consacré d'importants et remarquables travaux aux famines. Ce qu'il démontre, c'est précisément que « dans de nombreux cas de famines survenus récemment et dans lesquels des millions de personnes sont mortes, il n'y a absolument pas eu de déclin notable de la nourriture qui était disponible mais bien plutôt que ces famines ont eu lieu à cause de transferts de droits de propriété par ailleurs tenus pour parfaitement légitimes [1] ».

Sen soulève alors la question que nous devons prendre au sérieux – je rappelle qu'on parle ici de millions de morts – en discutant des implications des conceptions libertariennes, en l'occurrence ici celle de Nozick :

> Le système [de propriété] est tenu pour juste (ou injuste) en examinant l'histoire passée et non pas ses conséquences. [...] Des famines peuvent-elles survenir dans un système de droits tenu pour moral dans divers systèmes de pensée comme celui de Nozick ? Je pense sans l'ombre d'un doute que la réponse est oui puisque pour bien des gens la seule ressource qu'ils peuvent légitimement posséder, leur force de travail, pourra s'avérer impossible à vendre sur le marché du travail et ainsi n'accorder à son titulaire aucun droit à de la nourriture. [...] S'il en résulte des famines, la distribution des propriétés devrait-elle être tenue pour moralement acceptable malgré

1. Amartya Sen, *Resources, Values and Development*, Londres, Harvard University Press, 1997, p. 311-312.

ces désastreuses conséquences ? Il est hautement improbable que la réponse puisse être affirmative.

Pour le dire autrement : la position libertarienne, celle de l'idéologie dominante, c'est, à mes yeux, qu'il est également interdit aux riches comme aux pauvres de dormir sous les ponts sans payer leur légitime propriétaire – car il y a toujours un légitime propriétaire – et si toutefois ce dernier veut bien accepter de l'argent pour leur accorder ce privilège.

Je ne peux pas rendre justice à la position des anarchistes sur ce sujet en quelques lignes – pas plus que je n'ai pu exposer complètement celle de nos adversaires. Disons simplement que les anarchistes refusent ce qui est impliqué sous le nom de propriété dans les exemples qui précèdent, se plaçant dans la lignée de Rousseau :

> Le premier qui, ayant enclos un terrain, s'avisa de dire : « Ceci est à moi », et trouva des gens assez simples pour le croire, fut le vrai fondateur de la société civile. Que de crimes, de guerres, de meurtres, que de misères et d'horreurs n'eussent point été épargnés au Genre humain par celui qui, arrachant les pieux ou comblant le fossé, eût crié à ses semblables : « Gardez-vous d'écouter cet imposteur ; vous êtes perdus si vous oubliez que les fruits sont à tous et que la Terre n'est à personne. »

Cela n'est pas sans soulever de réels problèmes, il faut avoir l'honnêteté de le dire. Et ici, pas plus que sur la question du fonctionnement d'une économie, les anarchistes ne prétendent avoir de réponse simple, unique et définitive à proposer. Un problème réel et majeur concerne ce que les économistes appellent les biens communs. Seront-ils surexploités et dès lors destinés à disparaître ? Question difficile. Pour prendre un exemple cher aux libertariens : les bisons dans l'Amérique du XIXe siècle ne sont-ils pas devenus si peu nombreux justement parce qu'il n'y avait aucun droit de propriété sur eux ? Je pense qu'ils ont survécu sans problème et pendant longtemps avant ce siècle parce que leur exploitation n'était pas celle qu'induit le capitalisme. Et je remarque aussi que c'est parce qu'il y avait des droits de propriété sur eux que les esclaves étaient si nombreux dans l'Amérique du XIXe siècle.

Mais surtout, et c'est crucial, les anarchistes distinguent soigneusement la propriété de la possession. La propriété est ce qui permet d'exploiter ; la possession ce qui rend libre. Je ne peux pas posséder l'usine qui fabrique les montres ; mais j'ai la possession de ma montre. Proudhon le dit assez bien :

> La possession individuelle est la condition de la vie sociale : cinq mille ans de propriété

> le démontrent. Cinq mille ans de propriété le démontrent : la propriété est le suicide de la société. La possession est dans le droit ; la propriété contre le droit.

Ceci dit, il est vrai que la question de la propriété est complexe et soulève des problèmes sur lesquels je ne peux m'attarder ici et même certains sur lesquels je n'ai, pas plus que quiconque, de réponse simple ou définitive à proposer. L'un d'eux concerne le droit et la criminalité.

J'en conviens volontiers : la criminalité est un grave problème. Comment réagir face aux atrocités que commettent des criminels endurcis et récidivistes, comme, par exemple, les présidents américains depuis un siècle ? Comment réagir devant un être qui semble aussi inhumain que Henry Kissinger, devant la criminalité des entreprises à l'échelle planétaire, devant les détournements de fonds, les blanchiments d'argent, les crimes d'initiés, les milices privées ?

Graves questions, mais dont la réponse me semble assez facile dans la mesure où on peut penser que la plupart de ces problèmes disparaîtront avec les conditions qui les rendent possible. Plus d'État, plus de criminels d'État. Plus de propriété, plus de crime contre la propriété. Plus d'entreprises, plus de criminalité d'entreprises. Et ainsi de suite. Restent bien sûr des questions difficiles : que faire du voleur ou du criminel qui nous fait peur (avec raison, admettons...) ? Les anarchistes ont des réponses. Encore une fois des réponses et non pas une réponse. Pour l'essentiel, ces réponses s'articulent autour d'une valeur centrale : on devrait traiter tout le monde avec humanité, y compris ceux, si cela arrivait, qu'on priverait de liberté.

Finalement, l'argumentaire libertarien ressemble fort à celui qu'on nous sert constamment dans les médias, les universités et à travers tout le système d'endoctrinement. Ce système a à son crédit des réussites assez spectaculaires et, tel un savant alchimiste, il transforme le vil métal de la réalité en or de l'idéologie. Voyez plutôt...

Une compagnie largement subventionnée à même les fonds publics, bien à l'abri derrière des mécanismes de socialisation des risques et des coûts garantis par l'État et protégée par des ententes internationales concoctées par ses semblables et des États complices au sein de l'OMC, une telle compagnie va s'implanter dans un pays étranger – en Afrique ou en Indonésie, peu importe. On nous assure qu'il convient d'appeler cela le marché libre.

Cette compagnie s'installe dans ce pays et pille ses ressources naturelles et sa main-d'œuvre, exploite hommes, femmes et enfants avec la complicité d'une élite locale maintenue au pouvoir par une armée à laquelle d'autres entreprises vendent des armes sur le marché toujours aussi libre. Elle maintient et accroît son emprise sur le pays et sa population, aidée en cela par des programmes d'ajustement structurel du FMI et des politiques de la Banque mondiale, repaires de ces mêmes États et porte-voix de ces mêmes entreprises.

Toujours le libre marché, nous assure-t-on. Et même le libre marché du travail puisque tout ce beau monde maintenu en semi-esclavage est libre, oui, libre de conclure des contrats par lesquels ils se vendent à la compagnie [1].

Une communauté locale résiste à présent à son expulsion de son territoire ancestral par la multinationale qui convoite des richesses naturelles qui s'y trouvent. L'armée intervient pour chasser cette population, ira parfois jusqu'à tuer, au besoin – dans certains cas, ce sera la milice privée de la compagnie qui fera le travail.

Il s'agirait ici de défense légitime de droits de propriété naturels, de la défense de cette civilisation que nos bons idéologues assurent protéger contre la barbarie.

1. À propos de l'idée de « contrat » chère à cette école, Chomsky rappelait que l'idée d'un contrat libre entre un potentat et son sujet affamé est une farce sordide, qui vaut peut-être qu'on lui consacre un peu d'attention dans un séminaire qui explorerait les conséquences de ces idées (à mon sens absurdes) mais qui ne mérite rien de plus.

Les remarques qui précèdent laissent deviner que le rapport des anarchistes à l'État suscite aujourd'hui bien des débats et bien des commentaires.

En effet, de nombreux intellectuels assurent que le fait que des anarchistes se portent à la défense, disons, du système de santé public et donc d'une organisation étatique, signe à lui seul la mort de l'anarchisme en même temps que la reconnaissance de son manque de prise sur le réel.

J'avoue avoir du mal à comprendre une telle objection, qui s'évanouit, me semble-t-il, sitôt qu'on explique la distinction entre objectifs – ou visions à plus long terme – et buts – déterminés en tenant compte des circonstances et des possibilités que celles-ci permettent [1]. Cette distinction est couramment admise, comprise et utilisée par quiconque est engagé dans des activités pratiques et les militants anarchistes ne font pas exception.

Par exemple, un des objectifs et des espoirs de l'anarchisme, consiste en la disparition du salariat ; mais des générations de théoriciens et de militants n'ont pas hésité à se fixer des buts sur la route qui mène à cet objectif et,

1. Ce distinguo a été suggéré par Noam Chomsky.

ce faisant, ils ont milité pour de meilleurs salaires, de meilleures conditions de travail, des législations en faveur de la santé et la sécurité des travailleurs et ainsi de suite. En fait, toute l'aventure de l'anarcho-syndicalisme peut très légitimement être décrite comme un effort constant pour tenter de faire coïncider des semblables buts et l'objectif énoncé plus haut. À l'époque où l'anarcho-syndicalisme était très présent, il ne serait venu à l'idée de personne de soutenir que, puisque les anarchistes en sont venus à penser qu'il faut défendre les salariés, c'est qu'ils estiment que l'anarchisme n'a simplement plus de prise sur le réel.

Les intellectuels, à mon sens, pensent très fréquemment en termes de slogans et ils tiennent volontiers des proclamations de chapelles pour des arguments : ils ont donc du mal à comprendre cette distinction qui, de surcroît, exige le considérable effort conceptuel consistant à penser simultanément à deux idées. Mais cette distinction, encore une fois, est extraordinairement banale et une fois qu'on la comprend on soupçonne que cette idée d'un compromis – certes conjoncturel, provisoire et mesuré – avec l'État peut avoir quelque sens. Car le fait est qu'actuellement un assaut soutenu contre les fonctions, disons, keynésiennes de l'État est en cours. Ce qui est prévisible, à court terme, c'est de la souffrance pour les plus démunis et un accroissement du pouvoir des tyrannies privées. D'où un dilemme, sans doute, pour les anarchistes. Mais ce dilemme n'est ni gravissime ni insurmontable. Car si la défense de l'État nous répugne, plus encore cette souffrance nous est intolérable. Les anarchistes ne peuvent pas rester insensibles et ne pas prendre position dans ce dossier. Et cette souffrance appelle de notre part des gestes immédiats. En attendant d'avoir imaginé et mis en place des alternatives qui correspondraient mieux à nos objectifs, on ne peut se contenter de dire aux enfants sous-alimentés ou aux personnes en attente de soins que l'État est un frein à leur liberté et que nous ne pouvons ni ne voulons rien faire pour assurer qu'ils soient nourris ou soignés, ici, maintenant, tout de suite. Cette position, lucide et généreuse, il me semble qu'elle a de tout temps été celle des anarchistes. Faute de pouvoir penser raisonnablement que je peux atteindre mon objectif dans un avenir prévisible, je cherche et je me fixe des buts qui ne le contredisent pas. Cela signifie donc, si on ne joue pas sur les mots, se porter à la défense de certains aspects de l'État.

J'ajouterai un autre argument lié à la nature et aux effets prévisibles de cet assaut contre l'État mené par des tyrannies privées. En un mot : si les maîtres l'emportent, les services de santé, pour s'en tenir à ce domaine, seront toujours en partie financés par le public, mais ce sera désormais au bénéfice exclusif de ces tyrannies privées qui échappent, plus encore que les structures étatiques, à tout contrôle démocratique. Le système de santé actuel n'est certainement pas parfait et ne correspond, sans l'ombre d'un doute, d'aucune manière à ma vision idéale des choses ; mais un système de santé géré par Power Corporation sera pire encore. Dans cette nouvelle situation, les gens auront encore moins de contrôle sur les institutions qui déterminent leurs vies.

En pratique, je ne pense pas que l'atteinte de ces buts soit nécessairement incompatible avec le maintien, le rappel et la visée de nos objectifs. En fait, l'atteinte de ces buts en est sans doute la condition nécessaire. Partant de là, il s'agirait, selon la belle expression d'André Gorz, de viser des réformes non réformistes. Bref, je pense que, sur ce terreau de la défense des soins de santé et des services publics, les anarchistes peuvent créer, par l'exemple et par l'éducation, une belle et riche école où leurs idéaux seraient enseignés et progressivement mis en œuvre. Certes, là encore, il faut être capable de penser simultanément à deux idées : mais hormis à certains secteurs de l'université, je n'ai pas encore croisé un seul être humain qui ne soit pas en mesure de fournir ce modeste effort.

La question de la violence – difficile et qu'on ne résout surtout pas à l'aide de slogans ou en s'en remettant à des formules abstraites qui vaudraient dans tous les cas – demande, si on souhaite la poser de manière un tant soit peu substantielle, des analyses qui déborderaient de beaucoup la place que je peux ici lui consacrer. Des analyses qui, je l'admets aussi, dépassent peut-être mes capacités...

Je m'en tiendrai donc à des remarques élémentaires.

Je le dis d'emblée : je suis pacifiste, mais mon pacifisme n'en est pas un de principe – je tiens certaines violences comme légitimes. C'est qu'il y a des gens, même parmi les anarchistes, qui défendent un pacifisme de principe, c'est-à-dire qui ne souffre aucune exception dans son rejet de la violence. Chez les anarchistes, le nom de Tolstoï, d'abord, puis celui de Gandhi [1] (on pense ici à l'*Ahimsâ*) viennent

1. Sans vouloir faire de Gandhi un anarchiste au sens strict, on doit admettre qu'il fut un compagnon de route de l'anarchisme, un libertaire, pour reprendre la distinction proposée par Peter Marshall dans *Demanding the Impossible. A history of Anarchism*, Londres, Fontana Press, 1993. Gandhi a notamment soutenu que « l'état de non-violence idéal sera celui d'une anarchie ordonnée » (cité par Georges Woodcock, *Gandhi*, Londres, Fontana Press, 1972, p. 86).

plus spontanément à l'esprit ; mais il ne faudrait pas oublier cette longue et féconde tradition de pacifisme anarchiste née dans la foulée de la Première Guerre mondiale et à laquelle le nom de Domela Nieuwenhuis est lié. De nos jours, qui souhaite connaître une remarquable formulation de cette position peut lire les textes du militant états-unien David Dellinger [1].

J'ai pour ces gens une grande estime et je reconnais sans ambages la teneur morale – parfois très haute – de leur position, leur courage souvent exemplaire ainsi qu'une certaine consistance philosophique de leur point de vue. Mais je ne le partage pas. Je pense que toute violence doit se justifier et qu'il est des cas où elle peut se justifier. La légitime défense constitue un exemple de cas où cette justification est possible, exemple que la plupart des gens concèdent d'ailleurs. Il y en a d'autres à mes yeux : par exemple, lorsque la violence s'exerce pour empêcher, avec un minimum de violence, une violence qu'on peut raisonnablement penser imminente ; ou encore lorsque la violence peut raisonnablement être tenue comme la seule option possible et où il est raisonnablement assuré qu'un bien supérieur

1. Voir, entre autres, David Dellinger, *From Yale to Jail : The Life Story of a Moral Dissenter*, New York, Pantheon Books, 1993. [NdE]

sortira de la violence utilisée. Mais si on pense avoir dompté le monstre philosophique de la violence en posant cette dernière comme légitime lorsqu'elle s'exerce en réaction à une violence antérieure (en cours ou anticipée), on n'en est pas quitte avec le monstre logique du cercle vicieux et on doit encore dire ce qui constitue une violence première et illégitime : bref, encore faut-il s'entendre sur ce qui constitue de la violence. Or, je dois l'admettre, la plupart des efforts de définition et d'analyse que je connais – même si on s'en tient à la violence politique – ne m'ont pas satisfait [1].

Partant de là, la question de la légitimité du recours à la violence suppose un jugement circonstanciel difficile à poser, qui ne peut guère s'autoriser de principes fermement assurés et exige une grande attention aux circonstances, aux faits, aux acteurs, à leurs intentions, etc. Au total, il ne me semble pas illégitime de dire que ce pacifisme « non principié » est à la fois rationaliste et humaniste, et je crois que la plupart des anarchistes l'admettront également. Et si cette position ne me satisfait pas entièrement,

1. *La violence*, de Hélène Frappat, publié dans la collection « Corpus » chez Garnier-Flammarion, est un bel effort de présentation d'un large éventail de positions. J'ai beaucoup appris aussi de CAJ. Coady, « The idea of violence », *Journal of Applied Philosophy*, vol. 3, nº 1, 1986, p. 3-19.

elle demeure la moins insatisfaisante de toutes celles que je connaisse. Elle n'exclut pas des recours à la violence : mais elle demande des justifications.

Toutefois, l'essentiel, lorsqu'on parle de ce sujet, n'est pas là, du moins je pense. Car l'essentiel est dans le dégoût et l'horreur que ressentent généralement les anarchistes pour la violence, même quand ils se résignent à l'utiliser. Je pense que, par-delà des divergences inévitables, cette position n'est pas très loin de constituer une constante chez les anarchistes et on multiplierait aisément les citations allant dans ce sens.

L'*Encyclopédie anarchiste* offre sagement deux articles sur la violence. Le premier, signé F. Élosu, défend au fond un pacifisme de principe. Le deuxième, de Sébastien Faure, défend, comme moi, la légitimité circonstancielle du recours à la violence et avance même qu'elle est et sera nécessaire à l'avènement de l'anarchisme (ce que je ne ferais pas, pour ici et maintenant, mais j'admets qu'il avait et a peut-être encore raison). Voyez comment Faure introduit cette position :

> Élosu a tôt fait d'affirmer que la violence n'est pas anarchiste ; et, s'il raisonne dans ce qu'on pourrait appeler l'absolu, s'il se cantonne dans le domaine de la spéculation philosophique et si, se refusant à faire état des réalités, il ne tient compte que de

l'idée pure de l'Anarchisme en soi, il ne se trompe pas en déclarant que « la violence n'est pas anarchiste », car, spécifiquement, intrinsèquement, l'Anarchisme n'est pas violent, de même que la violence n'est pas spécifiquement, intrinsèquement anarchiste.

Sur le plan exclusivement spéculatif, j'irais volontiers plus loin qu'Élosu. Je ne me bornerais pas à dire comme lui que la violence n'est pas anarchiste, j'affirmerais que la violence est anti-anarchiste.

Notre idéal consiste à instaurer un milieu social d'où seront éliminées toute prescription ou interdiction s'exerçant par voie de contrainte ou de répression. L'Anarchisme réalisé, c'est la mise en application de la fameuse devise de l'abbaye de Thélème : « Fais ce que veux. » Être libertaire, c'est ne vouloir être ni maître, ni esclave, ni chef qui commande, ni soldat qui obéit ; c'est tenir en égale horreur l'Autorité qu'on exerce et celle qu'on supporte ; c'est n'accepter aucune violence et n'en pratiquer soi-même sur personne.

Il est donc certain que, spéculativement, qu'elle soit exercée ou subie, la violence est anti-anarchiste.

On en peut encore trouver la preuve dans notre volonté ardente autant que sincère de briser à tout jamais la violence organisée, érigée en moyen de gouvernement. [...] Les anarchistes sont des tendres, des affec-

> tueux, des sensibles. S'il leur était possible d'espérer qu'ils réaliseront par la douceur et la persuasion leur conception de la paix universelle, d'entraide et d'ententes libres, ils répudieraient tout recours à la violence et combattraient énergiquement jusqu'à l'idée même de ce recours [1].

Kropotkine, pour sa part, lassé et dégoûté comme tant d'autres de la propagande par le fait, en est venu à penser qu'« un édifice fondé sur des siècles d'histoire ne se détruit pas avec quelques kilos d'explosifs ». Soucieux de ne pas condamner des gestes de violence commis par des êtres eux-mêmes violentés et trop facilement compréhensibles, mais par nature et par philosophie répugnant à la violence, il en vint à dire ceci :

> Il y a aussi une limite à la patience humaine. Les hommes sont réduits au désespoir, si bien qu'ils commettent des actes désespérés. [...] Nous pouvons dire que la vengeance n'est pas un but en soi. Elle n'en est certainement pas un. Mais elle est humaine et toutes les révoltes ont eu et auront longtemps encore ce caractère. En fait, nous qui n'avons pas souffert des persécutions comme eux, les ouvriers, en souffrent ; nous qui, dans nos maisons, nous mettons à l'abri des cris et de la vue de la souffrance humaine, nous

1. Sébastien Faure, « Violence », *Encyclopédie anarchiste*, vol. 4, Paris, 1938, p. 2878.

> ne pouvons pas juger ceux qui vivent au milieu de tout cet enfer de souffrances. [...] Personnellement, je hais ces explosions, mais je ne peux pas m'ériger en juge pour condamner ceux qui sont réduits au désespoir. [...] La force devra certainement être utilisée pour venir à bout de la force qui maintient l'état de choses actuel. Mais cela est une chose tout à fait à part, et bien des gens qui condamnent toute explosion prendront un fusil pour se battre contre la force.

Au plus fort de l'épisode de la propagande par le fait, le jeune Émile Henry lance une bombe au Café terminus de la gare Saint-Lazare de Paris. Il tue un consommateur et en blesse 20 autres. Octave Mirbeau écrit alors : « Un ennemi mortel de l'anarchisme n'aurait pas fait mieux qu'Émile Henry quand il lança son inexplicable bombe au beau milieu de gens paisibles et anonymes qui étaient entrés là pour boire un café ou une bière avant d'aller au lit. » Cette conclusion est aujourd'hui la mienne, comme elle a été hier celle de l'immense majorité des anarchistes.

Je me méfie des appels à la violence impressionnistes. Et entre autres, de tous ces bons intellectuels qui ont chanté les vertus de la violence pure ou purificatrice ou thérapeutique (Walter Benjamin, Hannah Arendt, Frantz Fanon, Jean-Paul Sartre et tant d'autres).

Et comme l'immense majorité des anarchistes, je me refuse à séparer la question des fins de celle des moyens, la question des moyens de celle des fins. Je n'achète pas : « Tout nous est permis, car nous sommes les premiers du monde à brandir le glaive non pour asservir et réprimer, mais au nom de la liberté générale et de l'affranchissement de l'esclavage. » La phrase est tirée de *Glaive Rouge*, l'organe de la Tchéka. Mais, elle pourrait provenir de n'importe où qu'elle me serait encore odieuse.

Pour tout dire, je suis convaincu que moins la route est bordée de tombeaux, plus sûrement elle conduit à la justice.

Du nationalisme

Les anarchistes ont toujours compris et trouvé légitime une part substantielle de ce que porte le nationalisme et des passions qu'il engendre. Ainsi Élisée Reclus, géographe et anarchiste très célèbre en son temps, a pu écrire :

> Sans doute, c'est un sentiment naturel et très doux que l'amour du sol natal : c'est une chose exquise pour l'exilé d'entendre la chère langue maternelle et de revoir les sites qui rappellent le lieu de sa naissance. Et l'amour de l'homme ne se porte pas uniquement vers la terre qui l'a nourri, vers le langage

> qui l'a bercé, il s'épand aussi en élan naturel vers les fils du même sol, dont il partage les idées, les sentiments et les mœurs ; enfin, s'il a l'âme haute, il s'épandra en toute ferveur d'une passion de solidarité pour ceux dont il connaît intimement les besoins et les vœux.

Qui trouverait à y redire ?

Personne, sans doute. Mais Reclus lui-même et tous les anarchistes avec lui trouvent que ce tableau, s'il est juste, est aussi très largement et dramatiquement incomplet. Car, entre ce sentiment « naturel » et légitime et ce que porte, de manière prépondérante, le nationalisme, il y a un monde.

En simplifiant beaucoup, on peut dire que l'attitude anarchiste à propos du nationalisme s'est élaborée à partir de la critique de l'usage que fait l'État du sentiment d'appartenance identitaire que Reclus a décrit plus haut. Cette distinction deviendra courante chez les anarchistes du XIXe siècle et Bakounine – j'y reviendrai – lui donnera une formulation canonique.

Pour ces antiautoritaristes et antiétatistes, l'attachement naturel à sa communauté est à la société ce que le nationalisme est à l'État ; si le premier est légitime, dans la mesure même où la société est nécessaire, légitime et naturelle, le second est une « abstraction mensongère, toujours au profit d'une minorité exploitante ». La pensée et la pratique anarchistes se sont articulées autour de ces distinctions. Rappelons que l'une comme l'autre se sont forgées en Europe au milieu du XIXe siècle, c'est-à-dire au cœur du mouvement qui a fait naître les sentiments nationaux. Rappelons aussi qu'après avoir exprimé les aspirations des peuples et leur volonté de transformation radicale de l'ordre établi, le nationalisme est devenu l'un des moyens privilégiés du triomphe de la réaction qui s'est élevée sur les ruines des empires (ottoman, austro-hongrois, russe...) en hissant bien haut le drapeau national.

Bakounine, qui a passé son existence au cœur de ces combats, s'est déclaré volontiers « patriote de toutes les patries opprimées », respectueux de la « nationalité », qui « est un fait comme l'individualité ». Mais, dans le même temps, il refusa à la nationalité, qui divise, le statut de principe universel. Ceci est important et mérite qu'on s'y arrête : Bakounine et tous les anarchistes avec lui ont professé une immense méfiance, quand ce n'est pas un profond dégoût, pour toutes les modalités de prise en charge par l'État de ce fait que constitue la nationalité. Cette manipulation étatique, les anarchistes ne cessèrent de la dénoncer comme conduisant à la haine et à l'ethnocentrisme. Pour citer une fois encore Reclus : par le nationalisme, « le sentiment d'amour pour le pays où l'on est né se mue en sentiment de haine pour l'étranger ». Le patriotisme devient alors une « passion très mesquine, très étroite, très intéressée surtout, et foncièrement antihumaine, n'ayant jamais pour objet que la conservation et la puissance de l'État national, c'est-à-dire le maintien de tous les privilèges exploiteurs au milieu d'une nation ». Pour parler comme Guy Debord : le nationalisme est une des modalités privilégiées de l'incorporation du spectaculaire au politique et la construction de l'identité nationale est du spectaculaire en acte.

On en arrive ainsi tout naturellement à cet autre élément de l'analyse anarchiste du nationalisme, lequel fut capital dans la genèse de ces idées : l'antimilitarisme. Les anarchistes perçurent en effet très nettement que l'idéologie nationaliste conduisait à la guerre et que ce sentiment mesquin et étroit, largement induit, se prêtait particulièrement bien à la propagande martiale étatiste.

Nous savons aujourd'hui à quel point cette analyse était juste. Renan pouvait, en son temps, définir la nation comme la conjugaison harmonieuse de traditions communes héritées et d'une volonté collective : cette tradition et cette volonté collective pouvaient en droit et étaient souvent en fait largement imposées plutôt que découvertes, induites plutôt que ressenties de manière libre et autonome ; en un mot, fabriquées de toutes pièces. Quiconque veut s'en donner la peine peut suivre l'histoire de la mise en place des puissants instruments de propagande au moyen desquels on a fabriqué du nationalisme. Bien avant l'emprise médiatique actuelle, l'État s'en était déjà chargé, en faisant de la propagande – à côté de l'éducation – un outil fondamental dans la constitution de la nation et du sentiment nationaliste. Exemplaire fut le cas de la Commission Creel, mise sur pied aux États-Unis durant la Première Guerre mondiale et qui transforma, en quelques mois, une population pacifiste en hystériques partisans de la guerre. L'histoire des systèmes d'éducation nationaux peut elle aussi être entièrement relue dans cette éclairante perspective.

Face à l'épreuve terrible de la Première Guerre mondiale, tous les anarchistes se rappellent avec tristesse et incompréhension ce sinistre *Manifeste des Seize* rédigé en faveur de l'entrée en guerre et signé par des anarchistes, parmi lesquels Pierre Kropotkine, c'est-à-dire certainement le plus important penseur du mouvement. Chacun y lit, aujourd'hui encore, la puissance inouïe de la propagande étatico-nationaliste et un rappel à la nécessaire vigilance.

De telles conclusions étaient alors assez courantes dans les partis de gauche, comme chez les progressistes de toutes tendances : la visée internationaliste des mouvements révolutionnaires du XIXe siècle ne signifie pas autre chose que la reconnaissance du caractère limitatif et provisoire de l'État-nation. Elle n'est qu'une des nombreuses modalités par lesquelles s'exprimera la critique du nationalisme.

Telle est d'ailleurs la leçon que retint couramment, avec les anarchistes, toute une génération de penseurs et d'intellectuels férocement antinationalistes du début du XXe siècle qui assimilaient volontiers le nationalisme à une maladie mentale. Voici l'image à laquelle ce point de vue menait : le nationalisme est un manche. À un bout du manche il y a un drapeau ; à l'autre bout se trouve un imbécile qui fait la démonstration de son imbécillité par le simple fait qu'il est disposé à aller mourir pour la plus grande gloire du drapeau qui est situé à l'autre bout du manche ; ou à aller tuer n'importe quel autre imbécile agrippé à un manche au bout duquel flottera n'importe quel autre drapeau...

La question du nationalisme resurgit aujourd'hui dans le contexte à la fois paradoxal et complexe de la mondialisation qui tout à la fois exacerbe et brise les identités nationales. La tentation est alors forte de jouer la nation contre le nationalisme et de chercher dans la nation de quoi assurer l'articulation d'un projet universel à une réalité régionale particulière. Le nationalisme, nous assure-t-on alors, doit être envisagé comme une modalité où est susceptible de se résorber provisoirement l'actuelle contradiction (ou tension) entre, d'une part, un universalisme abstrait et généreux mais dont nous avons appris à nous méfier pour y avoir découvert l'ethnocentrisme ou même l'impérialisme et, d'autre part, toutes ces variétés de relativisme culturel dont on a appris qu'ils risquent de conduire, dans l'exaltation non critique des différences, à l'exclusion, à la ghettoïsation, voire au racisme. Au lecteur de juger si c'est un pari qui peut être fait. Pour ma part, je l'avoue, je reste incapable d'envisager le nationalisme autrement que comme un manche…

Éducation et avenir commun

Tout condamné à vivre aura la tête bourrée.
Jacques Prévert

Je vous remercie de l'invitation que vous m'avez faite de prendre la parole parmi vous pour vous entretenir de l'important sujet – éducation et avenir commun – qui nous réunit aujourd'hui.

Je considère en effet que ce sujet est d'une importance tout à fait cruciale et c'est la raison pour laquelle j'ai accepté de venir ici, à l'École des hautes études commerciales, où j'avoue me sentir un peu comme un mouton qui aurait accepté une invitation à un méchoui.

L'intitulé de cette conférence, qui m'a été suggéré par les organisateurs, réunit deux termes nobles : éducation, avenir commun. Et chacun pressent que l'on cherche à dire que l'un, l'éducation, est une condition importante de l'autre, cet avenir partagé et consenti qui nous serait commun. Il s'agit là d'un bel idéal qui est au fond, au moins en partie, celui que nous ont légué les Lumières. Est-il légitime d'y adhérer encore ? C'est ce dont je voudrais vous entretenir.

Mais d'abord, que signifiait cet idéal d'un avenir commun à la construction duquel l'éducation aurait pris une part significative ?

Il s'agissait, à mon sens, d'un pari fait sur la raison et la connaissance, posées comme instruments privilégiés d'émancipation individuelle et de progrès collectif, d'un pari sur les vertus de l'égalité des chances, d'un pari sur la liberté et sur la valeur des individus. Ces multiples paris ont semblé raisonnables et on a bientôt considéré qu'ils allaient de pair avec un certain idéal de démocratie participative qui engageait à son tour un modèle éthique très particulier, celui de la discussion et de la délibération auxquelles prennent part des individus capables d'une certaine attitude intellectuelle et morale face aux enjeux, aux problèmes et aux débats sociaux, politiques, économiques nous affectant tous. Notez bien ceci : on ne reconnaissait à personne la sagesse de savoir seul et définitivement ce que serait l'avenir commun, encore moins le droit de l'imposer. Mais on se donnait une forme politique qui permettait d'en débattre, indéfiniment, et l'éducation était perçue comme un moyen privilégié – auquel s'ajouteront bientôt les médias – d'assurer la préparation de sujets qui participeront à ces discussions. On dira alors de ces sujets ainsi formés qu'ils sont des citoyens.

Ce pari fondateur d'une certaine modernité apparut comme sensé à de nombreux observateurs. D'autres émirent de cruelles réserves.

Parmi ces sceptiques, il en est un que j'aime particulièrement. Je le rappelle, nous sommes à l'époque des Lumières, au XVIIIe siècle. Cet auteur avance alors que ce programme fait peu de cas de la classe montante d'affairistes, dont il dit redouter la puissance et qu'il appelle les Maîtres. Mon auteur n'a pas de mots assez forts pour dire la méfiance que ces gens-là lui inspirent. Le voici qui s'élève contre le libre-échange de son époque. Il pousse de poignants cris anticolonialistes. Il déplore « la barbarie et l'injustice des Européens », coupables des « destructions et calamités » sur des « innocents et simples habitants » qui les avaient pourtant accueillis « avec bonté et hospitalité ». Il clame son dégoût pour ce qu'il nomme « l'infâme maxime de ces Maîtres : tout pour nous et rien pour tous les autres » et il dit sa crainte de ces Maîtres dont il précise qu'ils sont « incapables de se réunir sans comploter contre le reste de la société ». Il dit son inquiétude et son indignation devant la montée, qu'il pressent, de leur redoutable puissance : « Les ouvriers désirent gagner le plus possible ; les Maîtres donner le moins qu'ils peuvent. Il n'est pas difficile de prévoir lequel des deux partis, dans toutes les circonstances ordinaires, doit avoir l'avantage dans le débat. »

Il rappelle encore que, par la division du travail, certes économiquement rentable, l'ouvrier « devient, en général, aussi stupide et aussi ignorant qu'il est possible à une créature humaine de le devenir ». D'où, pour finir, son insistance sur l'obligation qui incombe à tout État de fournir des institutions publiques d'éducation, en accordant justement la priorité « aux gens du peuple ». En priorité, je le répète. Et ceci, au nom d'une indépendance souhaitable des êtres humains face à ces Maîtres et à leurs impérieuses exigences.

Certains d'entre vous ont certainement reconnu mon auteur. Il ne s'agit pas d'un quelconque gauchiste, mais bien d'Adam Smith, le chantre du marché et de la main invisible, le père du libéralisme économique.

La mise en garde d'Adam Smith me semble encore tout à fait pertinente et, au moment où on invoque volontiers notre avenir commun, il est intéressant de se demander si nous avons pour commencer un présent commun, un ensemble de convictions et de normes communes qui inclurait les idées de raison, d'émancipation, de liberté et d'égalité dont j'ai parlé et qui étaient le socle sur lequel pouvait se construire le citoyen habilité à prendre part à des discussions menées avec une visée de bien commun.

Pour aider à répondre à cette question, prenons un exemple concret. Nos gouvernements et nos gens d'affaires, comme à l'époque de Smith, multiplient les initiatives de libre-échange. Le Canada s'est, depuis longtemps, engagé en Indonésie, avec Suharto aux mains ensanglantées – la tragique actualité du Timor oriental m'interdit de ne pas évoquer ici et ce fait et ce nom. Les missions commerciales sont faites, nous répète-t-on, pour créer de l'emploi : elles constituent le socle de l'avenir commun, de la prospérité de notre grande famille nationale, etc.

De retour de Chine il y a quelques mois à peine, M. André Bérard, président de la Banque Nationale, donnait pourtant un autre son de cloche, qui sonne bien plus juste que celui de la propagande officielle. Il évoquait plutôt des dirigeants d'entreprise habitués à se faire obéir au doigt et à l'œil et « ces bonnes petites PME québécoises qui ont 12 000 $ de profits déclarés et qui ont un standing de vie de trois millions et demi ». Pour assurer la propagation de la bonne nouvelle de la création d'emplois, il leur suggérait même d'aller, ce sont encore ses mots, « s'acheter quelques bons articles dans les journaux ».

Qu'aurait dit Adam Smith devant pareils propos ? Il aurait sans doute noté que les Maîtres n'ont pas changé ; mais il aurait peut-être ajouté qu'il reste encore et toujours l'éducation et les médias, et qu'à défaut d'un présent commun subsiste au moins l'espoir d'un possible avenir commun.

Adam Smith n'est malheureusement pas au courant de ce qui constitue un véritable assaut contre la démocratie conduisant aujourd'hui à un assaut singulier contre l'éducation. S'il me demandait de lui rafraîchir la mémoire, je lui dirais que des transformations sociales, politiques et économiques majeures, souvent désignées sous le nom général de « mondialisation de l'économie », sont en cours depuis quelque trois décennies.

Remontons un peu le temps. Au sortir de la Seconde Guerre mondiale, les démocraties libérales ont convenu de toute une série de mesures – politiques, juridiques, etc. –, dont plusieurs étaient directement destinées à encadrer l'économie de marché. La figure de référence n'était alors plus Smith mais un autre économiste, John Maynard Keynes.

En 1944, à Bretton Woods (New Hampshire), on créa la Banque mondiale et le Fonds monétaire international (FMI), on mit un frein sévère à la circulation des capitaux et on tenta d'accroître les échanges commerciaux entre les pays. Acteur important de ce modèle, l'État a accru ses interventions dans les affaires économiques et sociales, notamment en instaurant un certain nombre de programmes sociaux (santé, éducation, chômage, vieillesse, culture). Le modèle d'éducation publique et nationale qui s'est alors généralisé peut être considéré comme représentatif du modèle keynésien : on n'avait pas constamment en tête sa rentabilité, on n'y pensait guère en termes exclusivement économiques et, s'il fallait le faire, on parlait volontiers d'un investissement.

Ce modèle a été démantelé dans les années 1970 : partout, on a fait reculer ces fonctions de l'État pour livrer des pans de plus en plus importants de la société au marché et à son prétendu libre jeu. Les interventions de l'État sur ce terrain-là sont jugées légitimes dès lors qu'elles servent les intérêts des institutions dominantes. Grâce à une propagande efficace et à la bienveillance des médias, on a peu à peu diabolisé les programmes sociaux et les dépenses publiques qu'elles engagent, accusés d'entraver le libre jeu du sacro-saint marché.

Il restait notamment un lieu à envahir, un espace non encore violé mais crucial pour la participation démocratique et la préparation à cette participation : les écoles,

les universités et, en un mot, l'éducation. Depuis quelques années, c'est vers elle que les Maîtres se tournent. Le terrain a été magnifiquement préparé par les nombreuses et douloureuses compressions budgétaires qui ont été infligées au monde de l'éducation et l'ont contraint à avoir recours aux financements privés. Cette tendance lourde se poursuit, notamment à l'Organisation mondiale du commerce (OMC) dont je voudrais toucher un mot.

Cette organisation joue un rôle prépondérant dans ce qu'on appelle pudiquement la « libéralisation » des économies et les effets de ses décisions se font sentir sur les vies de chacun d'entre nous. Pour quiconque a à cœur une conception même minimale de la démocratie, une conception postulant simplement que les citoyens d'États démocratiques devraient être informés des sujets qui les concernent et être en mesure de faire entendre leurs voix sur les options qui s'offrent à eux quand il faut, collectivement, prendre des décisions sur ces sujets, le fait que l'OMC soit si peu connue est pour le moins troublant.

Quand on sait par ailleurs comment est constituée cette entité, qui en est membre, sur quels principes se fondent les décisions qu'elle rend et quels en sont les effets, ce trouble se mue en une angoisse.

Pour situer et comprendre l'OMC, il faut encore une fois remonter au moment où s'élabore l'architecture de l'économie mondiale, au sortir de la dernière Guerre mondiale. Outre le FMI et ce qu'on nomme désormais la Banque mondiale, les accords de Bretton Woods débouchèrent sur des efforts qui restèrent d'abord largement infructueux pour constituer une International Trade Organization (ITO). Finalement, on parvint à mettre en place un Accord général sur les tarifs douaniers et le commerce (General Agreement on Tariffs and Trade, ou GATT), lequel sera pendant des années un très important forum permanent de négociation et d'implantation des règles du commerce international.

Le GATT a tenu une ronde de négociations en 1993-1994 (dit Cycle de l'Uruguay) dont les observateurs reconnurent aussitôt qu'elle était, pour le commerce international, d'une importance énorme et probablement inégalée quant à ses ambitions et ses effets.

Le 1er janvier 1995, le GATT est remplacé par un nouvel organisme, l'OMC. À l'heure actuelle, 134 pays en sont membres. L'OMC est chargée d'implanter les résolutions convenues lors de la dernière ronde de négociations du GATT et, plus généralement, de concevoir, de définir, de faire adopter, de mettre en application et de faire respecter les règles et les principes qui réguleront le commerce et les échanges économiques internationaux.

Mais l'OMC va bien au-delà de ce que visait le GATT : les investissements, les marchés publics, les services sont au cœur de ses travaux. Partout et chaque fois, elle cherche à supprimer tous les obstacles au libre commerce, ce qui signifie en pratique lever toutes les prétentions des citoyens à imposer des normes aux entreprises ou à encadrer le marché et son fonctionnement.

On trouve dans l'actualité, au moment où j'écris ces lignes, un exemple tout à fait représentatif des effets de ces accords. Les Européens découvrent qu'ils ne peuvent vraisemblablement pas décider qu'ils ne veulent pas courir le risque de manger du bœuf aux hormones produit aux États-Unis. Pourquoi ? Parce que cette décision, pour fondée qu'elle puisse être sur le plan scientifique, contreviendrait aux normes de la libre concurrence décidées par les Maîtres... C'est ainsi que quelques avocats et bureaucrates réunis pour constituer un tribunal que personne n'a nommé et aux décisions définitives et sans appel peuvent, dans le confort de leurs bureaux genevois de l'OMC, déclarer illégale la décision de ne pas vouloir prendre le risque de manger des substances potentiellement cancérigènes. Et cela, même si des parlements nationaux prennent cette décision en conformité avec les aspirations de leurs citoyens.

La même logique se déploie constamment et inlassablement. L'OMC tend ainsi à faire primer, chaque fois, les droits des margoulins sur ceux des travailleurs, des citoyens ou sur la protection de l'environnement, perçus comme autant d'intolérables entraves aux droits des entreprises et à leur libre extension qui ne peut, elle, souffrir aucune contrainte. L'OMC, on l'aura compris, est une pièce maîtresse de l'arsenal levé par les Maîtres et leurs tyrannies privées.

Parmi les sujets abordés en 1999 à Seattle et qui nous concernent particulièrement au Québec et au Canada, il faut notamment souligner d'un trait rouge l'ouverture des services à la concurrence. Ce qui se profile derrière ces débats et ces mots en apparence anodins, c'est la privatisation et la commercialisation de la santé et de l'éducation. Il est remarquable que personne, parmi les citoyens qui en subiront les éventuels effets, n'aura voté sur l'adoption de ces mesures. L'OMC cherche en effet à promouvoir et à étendre son trop peu connu Accord général sur le commerce des services ou AGCS (GATS, General Agreement on Trade and Services, à ne pas confondre avec le GATT), lequel ouvre à la concurrence tous les services publics qui ne sont pas entièrement dispensés par les gouvernements. Or les nations signataires, qui croyaient protéger par cette clause leurs systèmes de santé et d'éducation, seront flouées dès que ces services ne seront plus totalement publics et fournis par l'État. En somme, dès que le privé y aura quelque place, la santé ou l'éducation seront considérées comme un nouveau marché devant s'ouvrir à la compétition internationale. Envisageons le pire : selon cette définition, à peu près aucun pays ne peut, à terme, espérer échapper aux Universités Burger King qui vont, demain, déferler sur le monde – car le fait est qu'une dizaine de villes américaines possèdent des Burger King Academies...

L'intérêt accordé à l'éducation par l'OMC et par de semblables institutions (FMI, Banque mondiale, OCDE) va en s'accentuant et accompagne la pénétration de l'éducation publique par les institutions dominantes. J'en donnerai d'abord quelques exemples pris notamment aux États-Unis ; mais, comme on le verra, cette tendance se manifeste désormais chez nous également.

Aux États-Unis, plus de 20 millions d'enfants utilisent du matériel pédagogique fourni par des entreprises. Cela donne des choses comme ceci : « Apprenons à compter nos chips », par le National Potatoe Board ; « Une vision globale de la santé », par Nutrasweet. Ou encore : « Comprenons l'ALENA », programme commandité par Mobil ; « Le cube énergétique », pour enseigner l'écologie, cette fois par Exxon ; et même « J'ai besoin de la Terre et elle a besoin de moi », par GM.

Par ailleurs, Channel One a passé une entente avec 12 000 écoles : en échange de matériel vidéo, les écoles s'engagent à montrer 12 minutes quotidiennes de programme, pubs pour bonbons et boissons gazeuses comprises. Quand on songe que le problème d'obésité juvénile que connaît ce pays est déjà alarmant...

Dans la même veine, Gillette a développé un programme pour initier les adolescents à l'usage du rasoir, tandis que Procter and Gamble a implanté en Amérique du Nord un programme écologique vantant dans les écoles les vertus des coupes de bois... En Nouvelle-Zélande, des élèves rédigent leurs examens sur du papier à en-tête d'entreprises. Quant à l'Union européenne, elle vise à ce que 30 000 écoles établissent des liens de partenariat avec les firmes transnationales d'ici 10 ans.

À Toronto, un atelier intitulé « Consumer Kids » est offert ; on y explique comment faire du marketing dans le système scolaire. Un sondage du *Financial Post* indiquait récemment que la grande majorité des entreprises canadiennes considèrent qu'elles devraient être présentes dans les écoles et qu'un bon nombre d'entre elles ont entrepris une forme ou une autre d'activité pour établir des collaborations avec le milieu scolaire. Dans les universités, chez nous, les chaires instituées par les entreprises se multiplient à proportion même du désengagement de l'État.

On multiplierait aisément les exemples. Les Maîtres attendent plusieurs choses de leur implication dans l'éducation. On peut d'abord, avec Maude Barlow que je suivrai ici, regrouper leurs attentes sous trois grands objectifs.

D'abord, l'allégeance idéologique. Tout le monde, et dès l'enfance, doit comprendre qu'il n'y a d'autre voie que le marché, l'entreprise, la compétition, qu'il n'y a d'autres modes de vie que ceux de la production et de la consommation, clé de tout bonheur humain possible. La Banque de Montréal offre (gratuitement, semble-t-il, mais avec un peu chance et de persévérance ils obtiendront une subvention du ministère de l'Éducation...) aux enfants du primaire le jeu « Mon argent au max ! » ; le Groupe Investors leur propose un livre d'étude : *Les jeunes et l'argent*. Les parents ne peuvent que se confondre en remerciements devant la générosité du donneur, à l'heure où les écoles manquent de tout. Dans « Petit Magot », les enfants apprendront à placer et à faire grossir leur magot, à devenir membre d'un club sous la présidence d'un dirigeant de la banque ; ils apprendront les vertus du philanthrope, seules capables de pallier les injustices, mais absolument pas celles d'une fiscalité équitable et progressive. Rien ne sera dit du rôle qu'une telle fiscalité a pu jouer historiquement dans la constitution des démocraties. Les enfants apprendront aussi à se battre pour continuer à jouer, car une des règles du jeu stipule que le perdant est simplement éliminé[1]. Si je ne m'abuse, l'appropriation des cerveaux qui est en train de se commettre sous nos yeux s'appelle le crime parfait, puisque la victime ne pourra même pas porter plainte, faute de savoir qu'elle a été lésée. Je ne résiste pas à la tentation de citer Albert Einstein, qui a déjà traité de ce thème :

> Rendre infirmes les individus : voilà un des pires maux du capitalisme. Tout notre système d'éducation souffre de ce mal. Une compétitivité exacerbée est inculquée à l'élève, qu'on entraîne, pour le préparer à faire face à l'avenir, à adorer le succès obtenu dans l'accumulation de biens.

Qu'ajouter à cela ?

Mais je voudrais faire remarquer que, si une institution puissante défendait de cette manière et avec ces moyens des idées avec lesquelles je serais en parfait accord, je m'offusquerais tout autant, au nom même de la définition du rôle et

1. Je remercie Martin Petit d'avoir porté ces exemples à mon attention.

de la nature de l'école que j'ai avancée plus haut. L'école doit être un sanctuaire ; elle doit pouvoir être à l'abri du monde, être un lieu libre où, pendant quelques années privilégiées, on donne, d'abord à tous puis à certains, la possibilité et le luxe de penser librement, de tenir toute chose et tout objet à distance, en extériorité. L'école rend ainsi des comptes à l'école, à ses normes et à ses valeurs propres qui sont souvent – pas toujours, mais souvent – autres que celles qui priment à l'extérieur de l'école, voire opposées à elles. Selon le beau mot de Hannah Arendt, toute éducation qui n'est pas conservatrice est condamnée à être réactionnaire.

Un autre objectif de l'actuel assaut contre l'éducation concerne l'appropriation d'un marché immensément lucratif. Cet objectif n'est pas contradictoire avec le précédent, loin de là. Selon un schéma bien connu, ce bien public doit être transformé en une machine à faire des profits au bénéfice de quelques-uns, ce qui n'exclut nullement, bien au contraire, que le public continue de subventionner ceux qui détournent ce bien public à leur seul avantage.

Enfin, les Maîtres attendent de cette pénétration dans l'éducation une transformation des fins mêmes de l'éducation, qui deviendra conforme à leurs attentes et à leurs besoins. Ceci est absolument crucial. Les points de vue humanistes assignant des fonctions émancipatrices à l'éducation et à l'université, les théories et les pratiques les concevant dans la perspective de la constitution d'un sujet libre et émancipé, confiant aux institutions éducatives le mandat de transmettre savoir, culture, habiletés citoyennes et donc de penser le monde, tout cela tend désormais à apparaître comme autant de nuisances dans la perspective de l'utilitarisme pressé que dessinent l'OMC et consorts.

Au total, sous la bannière de la théorie du capital humain concoctée à Chicago par l'économiste Gary Becker, une conception de l'éducation a été développée et promue qui ne laisse aucun doute sur l'ampleur de la mutation qui s'annonce. Voici par exemple le point de vue très représentatif de la Table ronde européenne des industriels, puissant et fort respecté *think tank* et auteur de l'influent rapport *Éducation et compétence en Europe*.

L'éducation et la formation, y rappelle-t-on, « sont considérées comme des investissements stratégiques vitaux pour la réussite future de l'entreprise ». Or, un point de vue par trop répandu veut que « l'enseignement et la formation [soient] toujours considérés par les gouvernements et les décideurs comme une affaire intérieure [...] ». Le problème posé (« L'industrie n'a qu'une très faible influence sur les programmes enseignés ») est aussi clair que la solution proposée pour le résoudre :

> La responsabilité de la formation doit, en définitive, être assumée par l'industrie. [...] Le monde de l'éducation semble ne pas bien percevoir le profil des collaborateurs nécessaires à l'industrie. [...] L'éducation doit être considérée comme un service rendu [...] au monde économique. [...] Les gouvernements nationaux devraient envisager l'éducation comme un processus s'étendant du berceau au tombeau. [...] L'éducation vise à apprendre, non à recevoir un enseignement. [...] Nous n'avons pas de temps à perdre.

Le train de la privatisation et de la commercialisation est donc en marche et, tout récemment, on a pu assister à la naissance de la Global Alliance for Transnational Education (GATE), qui réunit des dizaines d'acteurs majeurs du secteur privé bien décidés à investir le marché de l'éducation, notamment par ce qui en constitue à leurs yeux la porte d'entrée privilégiée : l'industrie de l'éducation en ligne. Son président, Glenn R. Jones, rappelle que « le potentiel de l'éducation est renversant » et représente « une opportunité d'entrer sur un vaste et attrayant marché ». À ceux qui voudraient remettre en cause la prémisse selon laquelle l'éducation doit intégralement être pensée et gérée comme une marchandise soumise aux rouages du marché, il répond par avance dans cette rhétorique fataliste qu'on connaît bien : « Il n'y a pas d'autre choix viable. Il faut éviter de construire des mirages ou de semer l'illusion qu'on peut négocier le changement. »

Les travaux préparatoires à la rencontre de Seattle ne laissaient déjà planer aucun doute sur le fait que ce jugement est entièrement partagé par les négociateurs des États-Unis. Mais on pouvait raisonnablement présumer que les représentants de l'Union européenne offriraient une certaine résistance. Cette résistance était d'ailleurs prévue par la délégation américaine qui, lors de la conférence intitulée « Service 2000 » qui s'est tenue à l'automne 1998, a reçu de ses gens d'affaires le mandat ferme d'assurer que le secteur de l'éducation reçoive « le même degré de transparence, de transférabilité, de reconnaissance mutuelle et de liberté, d'absence de réglementation, de contraintes et de barrières que celui réclamé par les États-Unis pour les autres industries de services ».

On doit enfin noter que l'AGCS comprend aussi bien les subsides que les mesures fiscales. Concrètement, comme le rappelle Jim Turk de l'ACPPU, cela signifie que si le Canada consent à inclure l'éducation dans les négociations, il devra donner aux fournisseurs étrangers de services éducatifs les mêmes subventions qu'il offre aux fournisseurs canadiens et éliminer le traitement fiscal préférentiel accordé aux universités et aux institutions canadiennes d'éducation.

Ces orientations sont-elles partagées par nos gouvernants ?

Les déclarations faites par Pierre Pettigrew, le ministre fédéral du Commerce international, autorisent à tirer la troublante conclusion qu'il ne comprend pas très bien ni ce qui est en jeu ni les termes de la discussion. François Legault, le ministre québécois de l'Éducation, est peut-être plus au courant. Mais cela n'est pas plus rassurant pour autant : lors d'une récente conférence à la chambre de commerce de Montréal, le ministre québécois n'hésitait pas à se référer à cette idée de « capital humain » dont raffolent les penseurs de l'OMC, cette « première richesse d'une nation » et qui se trouve « à la racine de l'économie du savoir ».

Legault poursuivait, dans un élan digne de Mike Moore (le secrétaire général de l'OMC), en assurant que « grâce à l'esprit d'entreprise de ses citoyens, grâce à son ouverture sur le monde, grâce au modèle québécois et grâce à son réseau d'éducation, le Québec bénéficie amplement de cette nouvelle manne ». Et il concluait par un angoissant aveu :

> Je suis ici pour faire des changements. De gros changements. C'est peut-être quelque

> chose que porte ma génération, mais je veux changer le monde [...]. Cette nouvelle forme de collaboration entre l'entreprise privée et tout le réseau de l'éducation, nous devons l'adopter, ne serait-ce que pour assurer le caractère concurrentiel de nos entreprises.

Il est éclairant de contraster tout cela avec les idées défendues il y a près d'un siècle par John Dewey. Celui-ci est un des plus grands pédagogues du XXe siècle, absolument pas un gauchiste, simplement un démocrate assez proche de cet idéal humaniste des Lumières dont j'ai parlé plus haut. Il a largement construit sa théorie pédagogique contre la mainmise des corporations qu'il pressentait déjà. Ses propos vous sembleront peut-être aussi extrémistes que ceux de Smith mais, hier encore, ils n'étaient l'expression que du simple bon sens. Dewey rappelait ainsi avec force que des perspectives vocationnelles et professionnelles, c'est-à-dire axées exclusivement sur l'emploi, livraient pieds et poings liés l'école et l'université à ce qu'il appelait les « capitaines de l'industrie », qu'elles n'assignaient plus pour fonction à l'éducation que de former des « fantassins dociles », à la formation « étroite » et « pratique », tout disposés à considérer que l'efficacité de l'entreprise rendait hors de propos toute considération relative à la démocratie sur les lieux de travail. C'est contre cette conception « vocationnelle » de l'éducation, contre l'idée d'une éducation dominée par « l'entreprise pour l'accroissement de son profit et renforcée par la presse, ses agents et tant d'autres moyens de publicité et de propagande » que Dewey construit son idéal de démocratie dans l'éducation. Il rappelle cette autre évidence qu'en certains milieux on trouverait aujourd'hui utopique : « La vocation principale de tous les êtres humains et de tout temps est la croissance morale et intellectuelle », l'éducation devant ultimement s'efforcer de produire, dit-il, « non pas des biens, mais des êtres humains librement associés les uns aux autres sur une base égalitaire ». Je vais le dire brutalement : l'apprentissage n'est pas l'éducation. Et s'il est normal et légitime d'attendre de l'éducation qu'elle débouche sur une insertion professionnelle, l'insertion professionnelle n'est pas toute l'éducation.

Les transformations de l'université illustrent de manière particulièrement nette ce que je suis en train de décrire et les périls qui sont liés à ces mutations. Je voudrais m'y attarder un peu.

Les universités sont de très vieilles institutions : les plus anciennes datent du XIIIe siècle. À les examiner d'un point de vue historique, on constate bien sûr qu'elles se sont beaucoup transformées avec le temps et selon les pays. L'examen de leur situation actuelle, un peu partout dans le monde, en témoignerait encore. Par-delà toutes ces transformations, je pense néanmoins qu'on peut trouver au moins deux constantes.

La première est – disons-le ainsi pour faire court – la permanence d'une certaine conception normative de ce qu'est l'université. Depuis les institutions médiévales réunissant des « savants » ou des « intellectuels » dans un contexte d'autoadministration jusqu'aux multiples formes de ses incarnations actuelles, en passant par certains modèles prestigieux ayant historiquement joué un rôle de tout premier plan – je pense au modèle de Humboldt –, l'université se caractérise par un certain rapport à des normes qui lui sont propres, sinon toujours dans les faits, du moins à titre d'idéal. L'université se veut un lieu d'indépendance et de liberté où s'effectue, selon ses propres normes, un type de travail intellectuel qui tend parfois, mais pas toujours, à être pur, abstrait, voire désintéressé. L'université est aussi un lieu où l'on produit des synthèses, où se pratique l'esprit critique ; elle est un espace en quelque sorte socialement protégé et mis à l'abri, qui permet notamment le dépassement de ce qui est déjà connu par et dans l'élaboration de nouveaux savoirs, de nouveaux modèles ou de nouveaux moyens de connaissance.

Je viens de dire : « socialement protégé ». J'insiste sur ce point, car cette mise à l'abri a joué – et joue encore aujourd'hui – dans l'histoire de l'université un rôle capital dans l'accomplissement de sa mission propre. Pour garantir l'accomplissement de cette mission, on a reconnu à l'université – parfois, mais pas toujours ni partout – des droits aussi lourds de conséquences que la liberté académique, la collégialité de sa gestion et l'autonomie institutionnelle.

On devine, dans ces conditions, que les relations de l'université avec son environnement n'ont pas toujours été harmonieuses ou faciles, loin de là. D'où la seconde des deux constantes que j'évoquais plus haut et sur laquelle je veux attirer votre attention : l'université a, au fond, toujours été en crise. Elle a presque toujours été au cœur de débats idéologiques et politiques. C'est que l'idée d'une institution régie par de telles normes transcendantes et spécifiques est, au moins en droit, porteuse de tensions. Et c'est pourquoi l'université a toujours constitué un enjeu social, politique, pédagogique, moral et civilisationnel. Ainsi, des esprits « progressistes » l'ont accusée d'être au service du pouvoir et de sa reproduction ; des esprits « conservateurs » l'ont accusée d'être un repaire de la contestation des bases mêmes de la démocratie, voire des fondements de la civilisation ;

des esprits soucieux d'efficacité pratique l'ont accusée de verbalisme et ont dénoncé son inutilité ; d'autres, au contraire, ont dénoncé et dénoncent encore sa soumission à son environnement immédiat et à ses impératifs ; d'autres enfin, plus radicaux, l'ont même accusée d'être un frein objectif aux valeurs qu'elle prétend servir.

Pour ma part, je considère comme absolument fondamental de noter que les transformations que connaît en ce moment l'université, du fait de l'impact que les institutions dominantes ont sur elle, s'accompagnent, de l'intérieur, d'un renoncement aux normes qui la définissent. On n'est jamais, si j'ose dire, si bien asservi que par soi-même. C'est là un phénomène tout à fait nouveau et absolument préoccupant. Il se produit en ce moment à l'université, alors que les normes propres à l'université elle-même y sont récusées par divers courants qui refusent la vérité, la raison, le réalisme et ainsi de suite en tant qu'idéaux. Je le dis sans détour puisque cela doit être dit : le renoncement à la raison, aux normes de la recherche et de la vie académique prend désormais, dans les universités occidentales, des proportions alarmantes et le charlatanisme y côtoie le relativisme le plus délirant.

Le phénomène auquel je pense se produit essentiellement dans les facultés de lettres, de sciences sociales et humaines, de philosophie et il porte ici ou là des noms différents : postmodernisme, relativisme, nouvelle sociologie des sciences, constructivisme, socioconstructivisme, *Cultural Studies* et j'en passe.

Or, selon la perspective que je dessine, l'université n'a de sens que comme entreprise intellectuelle régie par ses propres normes et mise à l'abri de ce qui est perçu à l'extérieur comme nécessaire, appréhendant cela même comme contingent en le rapportant à ses finalités propres. Cette exigence suppose un rapport critique non seulement à toute forme de pouvoir externe et à son idéologie, mais aussi à l'État lui-même.

Le sociologue Michel Freitag a très bien formulé ce que je cherche à exprimer ici. Renonçant à leur statut d'institutions, dit-il, nos universités ont consenti à se faire organisations. Au total, l'université se fait entreprise. C'est l'approche-client qui y prévaut, si souvent dénoncée mais jamais remise en question dans la pratique ; c'est cette gestion qui n'en finit plus de gérer, ponctuellement, et qui accompagne, quand elle ne les commande pas, la prise en charge de moins en moins réflexive de secteurs de plus en plus atomisés du réel ; c'est cette bureaucratisation de la vie intellectuelle et universitaire et de la recherche ; c'est la mise en place de structures lourdes destinées d'abord à servir des usagers et qui finissent, semble-t-il, par servir ceux qui y œuvrent ; c'est la perpétuation de structures dont on ne comprend plus la finalité et encore moins l'ancrage dans la finalité de l'institution ; c'est le marché du savoir, de la formation, des professeurs, des étudiants ; c'est le dédale complexe, souvent occulte, où il semble possible d'appartenir à l'université sans presque ne plus rien y faire d'universitaire, du moins au sens où je l'ai défini plus haut. Je pense qu'il ne s'agit pas de distribuer des blâmes ou des bons points, mais de prendre acte d'une situation, grave, dans laquelle les universités ont une part de responsabilité. D'aucuns ont fait les étonnés quand ils ont appris que 50 % des cégépiens échouaient à un test de français pourtant très facile. Mais sur le terrain on aurait pu prédire cela depuis longtemps. Selon le mot d'un de mes collègues, on fait désormais de la pédagogie défensive. Certains professeurs, en particulier dans les humanités, avouent ne plus pouvoir noter : ils recaleraient trop de monde, ce qui serait inacceptable pour l'organisation. Cette situation et tout ce que vous devinez ou redoutez alors, est très grave, non seulement pour l'université mais aussi pour la société.

Tout cela paraît si tragique à certains universitaires qu'ils prônent alors un élitisme de repli. Cette tentation est forte, elle circule, je l'entends. Je comprends aussi comment on en arrive là : devant le marasme des institutions universitaires, leur perte de sens, le fait qu'elles sont désormais frappées d'insignifiance intellectuelle et incapables de remplir leur mission, on conclut que la vie universitaire et la liberté académique sont désormais vidées de toute substance. Et qu'il ne reste plus, dès lors, qu'à tenter de préserver ce qui doit être sauvé pendant que déferle la barbarie.

Quand j'examine à tête reposée ce que je viens de vous exposer, il m'arrive, je l'avoue, de ne pas être très optimiste. Quand je regarde comment se pense aujourd'hui l'éducation et quelles sont les manières de faire et de penser de ceux qui ont pour fonction de concevoir l'éducation et de préparer les futurs maîtres, je vous le dis sans ambages, mon pessimisme s'accroît encore. C'est dans ce lieu même où les idéaux dont je me suis réclamé ici devraient être le plus chaudement défendus qu'ils sont méprisés et malmenés, quand ils ne sont pas littéralement ignorés. Il s'agit là d'un autre débat que celui que j'ai abordé jusqu'ici, mais je dois néanmoins dire que peu de disciplines ont fait autant de tort à l'idée d'éducation que les sciences de l'éducation. Elles ne sont certes pas les seules à avoir succombé et à avoir en partie renié leur raison d'être : l'université elle-même a déjà beaucoup trop assimilé les valeurs qui concourent à sa perte. Laissez-moi le dire plus simplement : une société, un système scolaire, une université, qui ne peut plus justifier ses pratiques que par l'emploi est en passe, à mesure que se répand cet utilitarisme, de ne plus savoir ce qu'est l'éducation, ou du moins une certaine et précieuse idée de l'éducation.

Mais je me refuse à être totalement pessimiste. Je persiste à croire possible pratiquement et souhaitable moralement d'instaurer par l'éducation ce sujet libre et émancipé dont j'ai parlé en commençant, ce sujet capable de s'investir dans la discussion démocratique où est débattue indéfiniment la question de notre avenir commun.

À penser ces questions dans une durée plus longue que celle de la gestion de l'immédiat qui l'emporte le plus souvent, on remarque d'abord que des gains réels ont été obtenus il y a bien peu de temps. Prenons encore le cas exemplaire des universités.

Il y a à peu près 30 ans, bon nombre de nos universités actuelles n'existaient pas. Quant à celles qui existaient, il n'est pas faux de soutenir qu'elles étaient largement vouées à la reproduction du pouvoir tout autant, sinon plus, qu'à la production du savoir. Il s'est donc passé un formidable revirement : nous avons à présent, sur tout le territoire du Québec, des institutions relativement démocratiques. Dans toutes les régions, notamment loin des grands centres, elles ont joué un rôle économique, culturel et scientifique capital.

Et cela est énorme. Ces institutions ont formé des milliers de personnes qui constituent aujourd'hui une part significative de la force vive de notre société, pour le meilleur ou pour le pire. Elles ont été un indispensable instrument de promotion sociale des francophones. Elles ont joué un rôle primordial dans la modernisation et la laïcisation du Québec. Elles ont conquis une relative autonomie face aux pouvoirs, notamment le pouvoir clérical. Elles se sont ouvertes au point de rompre, au moins en partie, avec le modèle qui les vouait à la reproduction de l'élite libérale. Les universités constituent aujourd'hui, ici, une part majeure de notre patrimoine collectif. Mais nous n'en sommes qu'à nos premières générations de fréquentation universitaire. Les acquis sont donc aussi précieux que fragiles.

Je veux être bien clair : je ne dis pas que l'avenue que je dessine a toujours, ni même souvent, été empruntée, historiquement, par l'éducation ou par l'université. Je ne dis pas non plus qu'il est facile de s'engager dans cette voie ; mais je répète que faute de cette visée, les universités sont vouées à la perpétuation des structures de pouvoir et de domination, et à remplir, par une part non négligeable de leur activité, une fonction de simple propagande.

Bertrand Russell a formulé ainsi ce que j'avance :

> L'importance de l'éducation en tant qu'instrument de propagande est énorme. Au XVIIIe siècle, la plupart des guerres étaient impopulaires ; mais depuis que tout le monde a accès aux journaux, presque toutes les guerres ont été populaires. Ceci ne constitue qu'un exemple de la mainmise sur l'opinion publique acquise par l'Autorité grâce à l'éducation.

L'école et l'université doivent être des milieux académiques où se fait du travail intellectuel et qui, par leurs normes propres (la culture, la réflexion, la capacité de synthèse et de recul critique), sont ancrés dans une visée de l'universel. Ces lieux doivent être libres, ouverts, démocratiques et autonomes, mais aussi, et c'est selon moi crucial, imputables à la société qui les accueille et les finance.

Cette question, liée à celle du financement de l'éducation devrait, à mon avis, être examinée à partir d'une discussion sur son imputabilité démocratique. Je pense que la création d'une instance indépendante est nécessaire pour que cette discussion ait lieu sereinement, une instance allant beaucoup plus loin et ayant bien plus de pouvoir et de mandats que la simple vérification comptable. Cette instance doit être représentative de la société dans son ensemble.

La constituer et définir son mandat ne sera pas chose facile, mais je fais le pari que c'est possible.

Au moment de conclure, je remarque que j'ai beaucoup utilisé ici les mots raison, savoir, vérité, connaissance, réflexion et éducation. On pourra penser qu'ils sont bien faibles et que c'est n'avoir que bien peu de choses à opposer à des puissances aussi grandes que celles que j'ai décrites et que j'invite à combattre. Mais ces mots-là sont non seulement ce que nous avons de plus précieux, mais aussi les plus puissants de tous.

Économie politique

C'EST UNE CLASSE d'économie politique. Le professeur sourit malicieusement. Soudain, il lance : « Interrogation orale sur le thème : que pensez-vous, en tant qu'économistes, de l'éducation ? »

S'avance d'abord l'étudiant Adam Smith – dont on raconte qu'il est aussi, étrangement, inscrit à un cours d'éthique. Il prend la parole :

— J'affirme que la division du travail conduit à l'opulence générale. Or se pose aussitôt un incontournable problème : en réduisant des humains à n'être plus que des exécutants de tâches simples, la division du travail les rend aussi stupides qu'ignorants. Autre problème, également grave et immédiat : si les ouvriers désirent gagner le plus possible, ce sont les Maîtres qui l'emportent, eux qui désirent donner le moins qu'ils peuvent. Conclusion ? Il est du devoir de l'État d'assumer des dépenses publiques, entre autres en éducation : l'État doit mettre sur pied des institutions que l'intérêt privé de particuliers ne fera jamais ériger. Il doit accorder la priorité à l'éducation des gens du peuple. L'éducation est rentable : la dextérité perfectionnée d'un ouvrier restitue la dépense assumée, plus un profit. Les Maîtres, qui vivent de profits, ont du mal à concevoir cela : c'est que leurs objectifs sont contraires à ceux des autres membres de la société. Ils complotent donc contre elle, trompent le public et n'aiment pas trop l'éducation. Mais je suis optimiste : nous sommes des êtres dotés de sensibilité, des êtres capables de dépasser nos intérêts strictement égoïstes et de ressentir la souffrance d'autrui. L'éducation est ce qui entretient et accroît ce sentiment. Vous n'auriez pas vu une main invisible ?

L'étudiant Vilfredo Pareto – dont chacun sait qu'il est également inscrit à un cours d'eugénisme – s'avance à son tour, dégoûté par ce qu'il vient d'entendre :

— La société se déglingue à cause de tels principes humanitaires : sus à la pitié morbide qui afflige la bourgeoisie décadente ! Convenons-en, puisque c'est un fait : les hommes (je ne parle même pas des femmes et de notre inconcevable indulgence pour leurs mauvaises mœurs !) sont inégaux, intellectuellement, moralement, physiquement. Penser le contraire est absurde, ne mérite même pas une réfutation. Du point de vue de la qualité, c'est scientifique, la répartition des hommes suit une courbe de Gauss. Folie, donc, de croire qu'on peut raisonner les hommes sans faire usage de la force : la force est le fondement de toute organisation sociale. Folie de céder devant les revendications égalitaristes des femmes, des socialistes, des syndicats. Folie de réclamer le suffrage universel ou une plus grande participation des classes pauvres au gouvernement. Diffuser l'instruction, promouvoir l'éducation pour tous est inutile autant que nuisible. Inclinez-vous, minables : je fais de l'économie politique pure, moi, et je sais calculer des ophélimités. Vous n'auriez pas vu un optimum ?

Un autre étudiant s'avance. Cette fois, il s'agit de John Maynard Keynes – lequel est inscrit dans tous les cours d'art et soupçonné de courtiser la prof de danse. Il s'approche, la mine dégoûtée, et commence néanmoins sur un ton très calme :

— Il faut remettre l'économie à sa juste place : secondaire. On peut détester la spéculation et s'enrichir grâce à elle, mais à condition de fonder ensuite un théâtre ou quelque chose du genre avec le fric encaissé. L'économie doit être au service de l'esthétique. Les fins plaisirs de la vie ne sont peut-être pas à la portée de tout le monde : cela, justement, seule l'éducation nous le dira. Peut-être. En attendant, l'éducation est un investissement et peut contribuer au plein-emploi si l'État y met du sien. Cela dit, je dois vous le rappeler encore une fois : l'amour de l'argent, comme objet de possession, est répugnant : j'ai souventes fois expliqué que c'est une de ces inclinations à demi criminelles qu'on confie en tremblant aux spécialistes des maladies mentales.

L'argent doit être aimé comme un simple moyen permettant de se procurer les plaisirs de la vie. Vous n'auriez pas vu une jolie définition du concept de probabilité ?

La classe se tait et, pour un temps, on pourrait croire que tout a été dit. C'est alors que s'avance Milton Friedman – cet étudiant qui est également inscrit au cours de la Bourse.

— Un problème énorme guette notre pays et tous ceux qui l'imitent : sa brisure en deux classes, entre ceux qui possèdent et ceux qui ne possèdent pas, cette brisure qui s'accroît encore plus de nos jours. L'éducation seule pourra y mettre fin : je ne vois pas d'autre moyen. Mais il faudra pour cela soumettre l'éducation à la discipline du marché. Tout le reste est littérature. La privatisation de l'éducation est donc la seule voie d'avenir pour résoudre ce problème. Sinon ? Ce sera la guerre civile. Vous n'auriez pas vu un boucher ?

Un étudiant libre, inscrit à un cours d'économie participative, s'avance enfin.

— Un économiste qui parle d'éducation, c'est presque toujours un picador qui cause taureau.

Comme absolument tout ce qui a de la valeur, l'éducation n'a pas de prix. L'ignorance, elle, est hors de prix et n'est dans les moyens de personne.

Restituer un profit, c'est encore restituer. Spéculer à contrecœur, c'est encore spéculer. Un employé habile, c'est encore un employé. L'éducation ne devrait former que des individus libres, capables de penser par eux-mêmes. Entre l'éducation par et pour l'État, qui produit des lobotomisés qu'on appelle citoyens, et l'éducation par et pour les entreprises, qui produit des lobotomisés qu'on appelle employés, il faudrait pouvoir choisir de ne pas choisir. Viendra bien le jour où l'éducation ne « produira » rien.

Car ce jour-là ne peut manquer d'arriver. L'éducation elle-même est un des plus puissants outils pour y parvenir, peut-être même le seul. L'égalité et la liberté sont possibles et souhaitables, conjointement. Pour cela, il faut refuser l'éducation qui impose l'ignorance, celle qui se contente de fournir des cadres à Nike et celle qui forme des pédants. « Être les esclaves de pédants : quel destin pour l'humanité ! Donnez à ces savants la pleine liberté de disposer de la vie des autres et ils soumettront la société aux mêmes expériences qu'ils font maintenant au profit de la science sur des lapins, des chats et des chiens », disait Bakounine.

Vous n'auriez pas vu une montre ? Je perds mon temps, qui n'est pas de l'argent.

QUELQUES ENJEUX DES NTIC POUR L'ÉDUCATION

TOUT CE QUI a trait à Internet (et au World Wide Web) et, plus généralement, tout ce qui concerne l'immense univers des nouvelles technologies de l'information et de la communication (NTIC), tout cela bouge et se transforme à une vitesse inouïe. Des développements (souvent) inattendus se succèdent sans cesse, des voies dont hier encore on ne soupçonnait pas l'existence sont découvertes et explorées, des solutions sont imaginées là où on croyait fermement apercevoir une impasse, tandis que des problèmes surgissent là où on était à peu près certains qu'il n'y en aurait aucun.

Dans un tel contexte, il me paraît très sage d'éviter les grandes déclarations péremptoires sur les questions que soulève Internet et de se méfier des prophètes à proportion de leur assurance à prophétiser. De la même manière et pour les mêmes raisons, il me paraît également sage de se tenir aussi loin de ceux que j'appelle les technophobes – qui refusent en bloc de considérer ne serait-ce que l'idée de possibles bienfaits résultant de ces technologies – que des technolâtres qui y voient la solution à tous les maux de l'humanité.

Entre ces deux excès, il y a place pour un assez large éventail de positions : à chacun de donner des arguments en faveur de celle qu'il défend. Mais personne, et les militants et activistes moins que quiconque, ne peut rester indifférent face à ces débats : Internet et les NTIC représentent un phénomène socio-économique majeur de notre temps ; ils sont là pour de bon (ou de mauvais...) ; ils façonnent et façonneront, parfois très substantiellement, notre monde et les conditions dans lesquelles nous pouvons espérer inscrire notre action pour le transformer.

Je voudrais simplement rappeler ici quelques éléments d'information qui me semblent préalables à toute réflexion qui se veut minimalement instruite et indiquer quelques grands enjeux sur lesquels l'actualité nous invite à prendre position, plus particulièrement en éducation.

Il faut le dire d'entrée de jeu : Internet a été essentiellement développé avec des fonds publics. Il est bon de se rappeler ce fait crucial

En 1972 apparaît une application promise à un riche avenir : le courrier électronique. Quand se pose la question du langage commun permettant aux différents réseaux de communiquer entre eux, on convient de protocoles de transmission et de routage. Ce qui s'impose finalement est un ensemble de protocoles créé par Robert Kahn et Vinton Cerf : TCP/IP [1]. En 1983, Arpanet est divisé en deux réseaux : Arpanet et Milnet, réservé aux militaires.

Les années 1980 voient une extension des connexions informatiques à de nouveaux secteurs du monde universitaire – et plus seulement au milieu universitaire de l'informatique. Un développement important se produit alors en Europe, au fameux CERN, le Centre d'études et de recherche nucléaire. Une équipe dirigée par Tim Berners-Lee invente un nouveau mode de recherche de l'information : l'hypertexte. Désormais, l'information n'est plus envoyée, c'est l'utilisateur qui va lui-même chercher l'information qu'il désire, grâce à un logiciel de navigation ou *browser*. Ce qui naît alors, c'est la Toile, le World Wide Web.

Internet est alors devenu un outil mondial qui ignore les frontières. Même s'il attire toujours, et de plus en plus, des chercheurs et

1. *Transmission Control Protocol over Internet Protocol.* Famille des protocoles utilisés sur Internet.

des universitaires, le grand public commence bientôt à s'y intéresser lui aussi. Le nombre de machines connectées à Internet va alors monter en flèche de manière fulgurante à compter des années 1990, lorsque Arpanet cesse d'exister, qu'Internet se développe et qu'explose le WWW.

Un thème domine tous les autres, à mon sens, dans l'histoire récente d'Internet (et des NTIC) : la commercialisation et la privatisation progressive du réseau.

Selon un schéma classique, Internet, créé avec des fonds publics, a en effet été donné aux entreprises privées pour qu'elles puissent en tirer des profits – en gros cela se produit à partir de 1995. Vinton Cerf a écrit :

> Ce n'est que bien plus tard, vers 1986, que l'on mesura l'étendue des extrapolations commerciales. Jusque-là, Internet présentait surtout un intérêt pour les institutions d'éducation et de recherche. Et ce n'est pas avant 1990 que le monde des affaires découvrit tous les avantages qu'il pouvait en tirer.

La commercialisation (et, plus tard, la privatisation) qui s'ensuivit et qui se poursuit encore est un objet de préoccupation. Sous nos yeux, le réseau d'information et d'éducation se mue en « cybereldorado », avec tous les effets prévisibles que cela implique. Il faut ici souligner que les pionniers d'Internet ont plus d'une fois rappelé le caractère profondément « libertaire » du réseau, inscrit d'emblée dans son fonctionnement. À l'image du monde universitaire qui en a été le berceau, Internet s'est en effet voulu un « lieu » décentralisé de libre accès et de libre circulation des idées et des informations gratuites. Les systèmes d'exploitation Linnux en sont un excellent exemple actuel.

On peut prendre une mesure intéressante de ce processus de commercialisation d'Internet et du WWW en examinant la manière dont les médias en ont parlé. Toutes proportions gardées, le schéma correspond parfaitement à celui qui s'impose chaque fois qu'un média ou un moyen de communication se développe – journal, radio, télévision.

Dans un premier temps, on nous en vante les vertus citoyennes, sociales, politiques, voire pédagogiques. Puis, la machine à fric se mettant en marche au fur et à mesure que le secteur privé découvre les immenses possibilités du médium, on parle commerce et gros sous si bien que les vertus qu'on nous chantait peu de temps auparavant sont reléguées à l'arrière-plan. C'est ainsi que, dans le cas d'Internet, on nous a d'abord longuement et de façon massive, parlé d'une « autoroute de l'information » avec toutes les connotations positives que recouvre cette expression. Puis, le temps passant, on parla, de manière de plus en plus exclusive de commerce électronique. Norman Solomon, qui étudie les médias aux États-Unis, a observé le phénomène dans ce pays. Pour ma part, j'ai voulu savoir ce qui en était chez nous.

Au Québec, le mot Internet apparaît dans les médias au tout début des années 1990. Il n'est que très exceptionnellement évoqué avant 1993. À partir de là, très vite, il est alors question d'autoroute de l'information et de ses nombreux bienfaits. Mais, peu à peu, comme aux États-Unis, on cause bientôt de commerce électronique et presque plus du tout de cette démocratique et citoyenne autoroute.

La commercialisation d'Internet s'est bien vite accompagnée de la montée en flèche de tout un secteur de l'économie lié aux nouvelles technologies. On en vint même à créer un indice boursier spécifique pour mesurer cette progression, fulgurante, de la « nouvelle économie ». Le marché était désormais convaincu de l'immense potentiel commercial d'Internet, qui ressemblait de plus en plus à un centre d'achats.

Malgré leur jeunesse et le caractère « fictif » et surévalué de leur « valeur », certaines entreprises de cette nouvelle économie sont très vite devenues gargantuesques. Au début de l'an 2000, la fusion AOL-Time Warner a donné une illustration particulièrement troublante des changements en cours.

Depuis quelques mois, le Québec, à l'instar de bien des pays industrialisés, investit des millions de dollars pour brancher sa population à Internet. Le ministère de l'Éducation a dépensé, et dépensera encore au cours des prochaines années, des millions de dollars pour procéder au branchement de nos écoles sur l'autoroute de l'information et pour procéder à leur *aggiornamento* en matière de NTIC. Or, cela s'est fait dans un contexte de contraintes budgétaires où les écoles devaient restreindre leurs services, notamment les bibliothèques ; et alors que la question de la formation des maîtres qui auraient à utiliser ces technologies était largement négligée. Très peu de débats et de discussions pédagogiques ont d'ailleurs eu lieu sur les mérites éventuels des NTIC. Pourtant, si Internet est un marché, l'éducation en est également un et en particulier un marché pour les NTIC. Il faut sans doute partir de là pour contextualiser toute discussion sereine sur les NTIC et l'éducation.

Le marché mondial de l'éducation est estimé à 1 000 milliards de dollars américains : on comprend aisément qu'il représente un fabuleux Eldorado dont l'immense potentiel n'a évidemment pas échappé aux intérêts privés qui ont multiplié depuis quelques années les efforts en faveur de la déréglementation et de la privatisation. Comment promouvoir et accomplir encore plus complètement l'une et l'autre ? Le Conseil du commerce des services de l'OMC s'est penché sur la question et ses réflexions sont contenues dans un texte intitulé *Education Services - Background Note by the Secretariat*, accessible sur Internet [1].

On y découvre que les NTIC constituent un aspect primordial de la nouvelle donne que dessine l'OMC pour l'éducation en général, et pour l'université en particulier. La vente à partir de l'étranger de cours sur Internet relève, dans la logique de l'OMC, de la fourniture de services transfrontaliers. Il faut savoir que UCLA offre déjà 50 cours sur Internet, accessibles de n'importe où dans le monde. Un autre exemple consiste en la création par IBM, Microsoft, AT&T et quelques autres géants de l'industrie d'une université virtuelle au personnel minimal : la Western Governors University. L'OMC ne cache pas son admiration pour les efforts des pays, de plus en plus nombreux, qui renoncent peu à peu au financement de leur réseau universitaire pour soumettre celui-ci à la lucrative discipline du marché.

Le train de la privatisation et de la commercialisation avance sur ses rails de métal froid.

Selon les plus hostiles des opposants à l'introduction de l'informatique et d'Internet à l'école, ces technologies assureront une forma-

1. http://docsonline.wto.org/DDFDocuments/u/S/C/W49.DOC. [Lien vérifié le 25 mars 2010]

tion idéologique de la jeunesse qui ira inévitablement dans le sens d'une soumission à l'ordre des choses tenu pour nécessaire, tout en assurant, à même les fonds publics, l'enrichissement des grandes corporations en leur livrant un marché captif. Ceux qui adoptent ce point de vue disposent, il me semble, de sérieux arguments.

À ces cyberphobes, les cyberphiles répondent en général que le train de l'informatisation est en marche et que, si l'école refuse de le prendre, elle ne contribuera qu'à engendrer des cyberpauvres, privés d'un outil majeur assurant la possibilité de prendre une part substantielle et significative dans les affaires de la cité et, plus prosaïquement, d'y gagner leur vie. C'est souvent au nom d'arguments de cet ordre – qui contiennent sans doute une part de vérité – qu'on passe à l'action. Je ne peux cependant m'empêcher d'y lire le même fatalisme qui préside au « culte de l'impotence » et qui a largement déterminé les actions (ou pour mieux dire, les inactions) de l'État depuis deux décennies. C'est seulement au moment où l'on a, par pragmatisme, conclu à l'urgence présumée d'informatiser les écoles que s'est posée la question de l'usage pédagogique de cet onéreux outillage. C'est tout à fait frappant : la question de la pertinence pédagogique ne semble se poser que devant le fait accompli, bien que les études concernant les bienfaits pédagogiques des ordinateurs ne soient pas concluantes.

Cela dit, la question de la pertinence de l'introduction des NTIC à l'école et de leur éventuel usage reste en suspens. Ici encore, il y a place pour un assez large éventail de positions. Il est probable que seul un débat démocratique au sens large, c'est-à-dire entre citoyens informés, permettrait de déterminer ce qu'on devrait attendre des NTIC à l'école. Mais le fait est qu'il est sans doute malheureusement trop tard pour le tenir.

En somme, si je ne me trompe pas trop, on semble aboutir aux quelques aberrations suivantes. *Primo*, des enseignants qui n'ont pas été formés pour cela utiliseront bientôt une technologie coûteuse dont il est loin d'être certain qu'elle soit bénéfique. *Secundo*, on se fera croire qu'il s'agit de culture et d'éducation, pendant que Microsoft et quelques autres s'en mettront plein les poches. *Tertio*, on rappellera inlassablement qu'il faut initier les enfants à cette technologie, ce qui est un argument aussi solide que celui qui assurerait qu'il faut à l'école, et le plus tôt possible, initier les enfants à la conduite automobile, au téléphone, à la Bourse, etc. Mais il est vrai que l'idée qu'il faille initier les enfants à la Bourse est déjà admise, réclamée, encouragée, mise en œuvre !

Au moment de la première phase d'informatisation des écoles, en 1985, parut un ouvrage percutant : *Arsenic et jeunes cervelles*[1]. Cet ouvrage défendait la thèse que les finalités de l'école et celles de l'informatique étaient largement inconciliables et souvent antinomiques. Quinze ans plus tard, je ne vois aucune raison majeure de revenir sur ses conclusions. Si un véritable débat pouvait encore avoir lieu, on pourrait retenir de ce livre les deux principes suivants, qui sont sans doute élémentaires mais que l'on me semble avoir oubliés.

En premier lieu, le fait que quelque chose soit d'importance hors de l'école ne justifie pas à lui seul son introduction dans l'école : cette introduction nécessite un jugement pédagogique – et au fond moral – sur l'élément en question. Or, ce jugement se fonde sur les normes de l'école, lesquelles sont bien souvent contraires à celles qui s'imposent à l'extérieur de l'école.

Ensuite, le fait que quelque chose soit utile et efficace dans l'école n'y justifie pas à lui seul son introduction, malgré l'utilitarisme ambiant et l'empirisme pressé qui incitent à penser le contraire. Prenez quelques utilisations typiques des NTIC, et examinez-les à la lumière de ces

1. M. C. Bartholy et J. P. Despin, *Arsenic et jeunes cervelles*, Paris, coll. 10/18, 1986.

deux principes. Par exemple, l'idée d'envoyer du courrier électronique dès le primaire, ou celle de surfer sur Internet pour faire une recherche au secondaire. Les résultats seront étonnants. Car si le débat que j'appelle de tous mes vœux s'était tenu, on aurait sans doute convenu que ces finalités de l'école renvoient, de manière prépondérante, à la formation d'individus libres, égaux, capables de penser par et pour eux-mêmes. La discussion sur les NTIC aurait dès lors été passionnante. Mais, à la place, nous avons eu droit à la parole de quelques « spécialistes en expertise ». Placés devant le fait accompli, nous en sommes donc à nous demander comment nous allons incorporer les NTIC à nos enseignements. Nous cherchons avidement le comment... sans même avoir déterminé le pourquoi !

Il existe bien d'autres enjeux liés à Internet. Je voudrais pour finir en rappeler deux, qui me paraissent particulièrement importants : la gratuité et l'isolement.

Bien des gens sont convaincus que sur Internet tout est gratuit. Or même s'il arrive que cela soit vrai et doive être encouragé lorsque c'est possible (Linnux serait ici un bon exemple de ce qui doit être encouragé), dans bien des cas cela est faux, bien entendu. Le site gratuit que tel professeur met sur pied est financé par son salaire, payé par le public ; le site que des militants mettent sur pied est financé par le don de leur temps, de leur talent, de leur énergie ; le site de telle ou telle entreprise se paye lui-même – ou se payera éventuellement – par les ventes qu'il permettra ; quant au site supposé gratuit que met sur pied tel organe d'information, il se paye, lui, par la publicité qui y figure.

Nous y voilà. Les organisations de gauche, on le sait, ne veulent pas de pub, ce fil à la patte dont elles savent bien ce qu'il coûte en matière de liberté de l'information. Pour la plupart d'entre elles, les institutions de gauche ne pourraient d'ailleurs même pas se financer de cette manière, quand bien même elles seraient disposées à le faire.

Au total, cette illusion de la gratuité a potentiellement des effets dramatiques pour les institutions militantes et pourra entraîner une massive exclusion des sites de gauche du réseau. Le journal qui se met en ligne et auquel on accède désormais gratuitement et sans publicité, ce journal continue d'être fait par des gens qui y travaillent pour presque rien si les ventes des copies imprimées baissent. Il y a là matière à réflexion et matière à information : les institutions de gauche qui sont sur Internet, qui veulent y rester parce qu'elles croient, non sans raison, au grand potentiel de ce mode de diffusion d'informations et d'interaction, ces institutions doivent affronter cette question du financement de leur activité. Les militants, de leur côté, devraient comprendre que, sur Internet comme ailleurs, les institutions de gauche ne peuvent exister sans l'appui, notamment financier, de ceux qui y croient.

Internet s'est révélé un précieux outil militant. Au cours des dernières années, il a joué un rôle de tout premier plan dans l'échange et la transmission d'informations : c'est, par exemple, sur Internet que furent diffusées les versions préliminaires de l'AMI, ce qui amorça l'immense mobilisation que l'on sait. De même, Internet joue depuis quelques années un rôle très important dans l'organisation de l'action militante et la coordination des activités de différents groupes et organisations. Mais cette médaille a son revers et il y a lieu de s'interroger sur la forme inédite d'isolement qui en découle, car les relations réelles, en face à face, sont absolument nécessaires à l'action militante. « Je voudrais te parler », dit un personnage d'une caricature à un autre en ouvrant la porte de son bureau et le découvrant encore une fois rivé à son ordinateur. Et d'ajouter : « Mais pas en ligne, cette fois-ci ! »

Il y a là quelque chose à méditer...

Les anarchistes et l'éducation

Un peu partout dans le monde, les actuels systèmes d'éducation publique se sont progressivement mis en place à partir du XIXe siècle, dans la foulée de la Révolution française. Cet événement sera perçu, non sans raison, comme un projet et une victoire de la gauche. Et il est vrai que, de nos jours encore, toute attaque à leur endroit vient typiquement de la droite.

Pourtant, dès le début de cette aventure, les anarchistes se sont montrés fort critiques, tout en reconnaissant les bénéfices qu'on pouvait en espérer. On l'aura deviné : ce n'est nullement au nom d'une forme ou l'autre d'élitisme ni parce qu'ils se portent à la défense de l'ancien ordre aristocratique que les anarchistes émettent des graves et sérieuses réserves. Mais il était fatal que ces antiautoritaristes reconnaissent d'emblée – et ils furent, à gauche, à peu près les seuls à le faire avec cette inlassable insistance – les dangers et les menaces à la liberté que porte l'idée même d'une éducation nationale, projet qu'ils perçoivent aussitôt comme une appropriation par l'État des cerveaux des enfants. Qu'attendre d'une telle éducation sinon qu'elle forme des lobotomisés ? Qu'en attendre sinon l'immolation de la liberté sur l'autel du conformisme, de la créativité sur celui de la pensée commune, de la fraternité sur celui du nationalisme étroit et ethnocentriste ? Qu'en attendre, enfin, sinon la fabrication d'individus dociles, obéissant aux Maîtres et notamment aux patrons, et qui seront entièrement disposés – la Première Guerre mondiale en donnera la décisive et sanglante preuve – à aller mourir au front sitôt l'ordre donné ?

Cette méfiance a d'abord été exprimée par William Godwin et par Max Stirner, qui ont consacré tous deux – bien qu'à partir de perspectives distinctes – de longs et substantiels développements au thème de l'éducation nationale. Ils y rappellent avec force le péril d'embrigadement à l'ordre social, politique et économique que comprend cette entreprise et la mise à mort de la pensée critique et de l'autonomie individuelle auxquels elle risque de conduire. Tous les anarchistes devaient par la suite leur emboîter le pas et partager leur méfiance sinon acquiescer à leurs analyses.

Pourtant, les anarchistes ne méconnaissent pas l'importance décisive de l'éducation : à l'instar de bien d'autres mouvements révolutionnaires qui lui étaient antérieurs ou contemporains, l'anarchisme convient même que l'éducation est une clé essentielle de la rénovation sociale qu'il appelle de ses vœux. Mieux, et en cela il se distingue de la plupart des autres mouvements révolutionnaires, l'anarchisme ne s'est pas contenté de produire une théorie de l'éducation : très tôt, il a cherché à réaliser concrètement les modèles éducationnels qu'avance la théorie.

Depuis Godwin, l'histoire du mouvement anarchiste est ainsi celle de réalisations pédagogiques concrètes allant de la création d'écoles et d'institutions d'enseignement à l'élaboration de matériel pédagogique et à la publication de journaux et de revues pour enfants. La Ruche de Sébastien Faure, Cempuis de Paul Robin, Iasnaia Poliana de Léon Tolstoi, Beacon Hill de Bertrand Russell et Summerhill d'Alexander S. Neill sont parmi les plus connues des écoles mises sur pieds par les libertaires.

Toutes ces réalisations sont portées par une réflexion pédagogique soutenue, dont on peut esquisser à grands traits les principales idées autour desquelles elle s'est cristallisée entre 1880 et 1914.

Pour les anarchistes, l'éducation doit impérativement posséder cinq caractéristiques essentielles et complémentaires : elle doit être intégrale, polytechnique, rationnelle, émancipatrice, et permanente.

D'abord, et ce concept est hérité de l'utopiste Fourier, si l'éducation doit être intégrale, c'est qu'elle doit s'intéresser à toutes les facettes d'un être humain. Il faut ici se rappeler que la scission entre éducation manuelle et éducation intellectuelle est alors très marquée – et elle l'est restée, pour l'essentiel – et que c'est d'abord et avant tout ce clivage que refusent les anarchistes. Leurs écoles chercheront donc à faire alterner, de manière complémentaire et équilibrée, enseignement manuel et enseignement intellectuel, atelier et salle de classe, leçon de mots et leçon de choses.

Il s'agit en fait de préparer le futur travailleur à affronter efficacement les périls du marché du travail et, en particulier, ceux que font peser sur lui la division du travail : pour les anarchistes, il ne saurait donc être question de se préparer à un seul métier. D'où le caractère polytechnique de l'éducation qu'ils préconisent, garant de liberté et d'autonomie.

L'éducation doit aussi être rationnelle. C'est ici que la composante scientifique et rationaliste de l'anarchisme est la plus évidente. L'éducation que prônent les anarchistes sera bien sûr séculière et humaniste, aussi indépendante de l'Église que de l'État ; mais elle placera en outre la science au cœur de son projet pédagogique. En cette époque où technoscience ravageuse et scientisme aliénant ne se sont pas encore manifestés, les anarchistes se réclament d'une science qui libère des superstitions, qui constitue un exercice intellectuel capital et formateur, et qui est gage de progrès humain et matériel. Leur défense et pratique de l'éducation sexuelle, libérant des préjugés, permettant le contrôle des naissances et assurant une vie sexuelle harmonieuse et libre, est exemplaire de ce qu'ils espéraient d'un tel enseignement appuyé sur la science et la rationalité.

Au total, une telle éducation sera également émancipatrice car elle forgera en chacun les conditions du libre exercice de la raison et préparera à une vie sociale où l'exercice de la liberté de chacun se conjuguera au respect de la liberté de tous les autres. L'éducation doit ainsi contribuer à sa manière et par ses moyens propres à préparer l'avènement d'un monde libéré des contraintes et des servitudes.

Dans le contexte de cette réflexion, les anarchistes ont essayé diverses formules scolaires et pédagogiques. Ils ont également maintes fois réaffirmé que l'institution scolaire était destinée à disparaître au profit d'une éducation permanente et collective. Les bourses du travail, créées par les anarcho-syndicalistes, donnèrent corps et vie à cette idée.

Outre diverses innovations dont ils furent les initiateurs ou les promoteurs (mixité, refus de l'usage de la force physique, participation des élèves à la vie démocratique de l'institution, etc.), on doit encore aux anarchistes, et ce n'est pas un hasard, d'avoir fait face avec lucidité à la difficile et récurrente question de l'autorité en éducation. C'est que, comme tout pédagogue le sait, la question de savoir ce qui constitue une autorité légitime se pose avec une urgence et une acuité toutes particulières sur le terrain de l'éducation. Que peut-on imposer ? De quel droit ? Comment et avec quelles visées ? Le projet d'éduquer de jeunes et fragiles cerveaux soulève de telles questions, auxquelles l'anarchisme ne propose aucune réponse simple et générale. Mais il était fatal, antiautoritarisme et passion de la liberté obligent, qu'il s'y montre particulièrement sensible et qu'il invite à s'efforcer d'y faire face. Citons Bakounine, très clair ici encore :

> Il faudra fonder toute éducation des enfants et leur instruction sur le développement scientifique de la raison, non sur celui de la foi ; sur le développement de la dignité et de l'interdépendance personnelle, non sur celui de la piété et de l'obéissance ; sur le culte de la vérité et de la justice, et avant

tout sur le respect humain qui doit remplacer, en tout et partout, le culte divin. Le principe de l'autorité, dans l'éducation des enfants, constitue le point de départ naturel : il est légitime, lorsqu'il est appliqué aux enfants en bas âge, alors que leur intelligence ne s'est pas encore ouvertement développée. Mais le développement de toute chose, et par conséquent de l'éducation, impliquant la négation successive du point de départ, ce principe doit s'amoindrir à mesure que s'avancent l'éducation et l'instruction, pour faire place à la liberté ascendante. Toute éducation rationnelle n'est au fond que l'immolation progressive de l'autorité au profit de la liberté, le but final de l'éducation devant être de former des hommes libres et pleins de respect et d'amour pour la liberté d'autrui.

Dans tout examen des idées et pratiques anarchistes en matière d'éducation, une place à part doit être faite à Francesco Ferrer y Guardia (1859-1909). Ferrer fait figure de martyr dans l'histoire de l'anarchisme.

D'origine catalane, Ferrer doit très tôt à ses idées anarchistes un exil à Paris. Il survit alors en donnant des leçons d'espagnol. Cet exil prend toutefois fin en 1901, lorsque Ferrer rentre en Espagne. Un legs d'une élève parisienne lui permet d'ouvrir à Barcelone l'École moderne dont il rêvait, inspirée, entre autres, d'expériences anarchistes similaires qui ont cours en France à la même époque, et de mettre sur pieds une maison d'édition consacrée aux idées anarchistes en éducation. En 1907, Ferrer est emprisonné à la suite d'un attentat contre Alphonse III : il est cependant bientôt relâché, faute de preuves. Mais à l'été 1909, alors que de violentes émeutes éclatent à Barcelone contre l'envoi de troupes au Maroc, Ferrer est de nouveau arrêté, le 31 août. Cette fois, un procès est rapidement tenu et, malgré un vaste mouvement international de protestation, Ferrer est exécuté le 31 octobre 1909. Son procès sera révisé deux ans plus tard et sa condamnation sera déclarée « erronée » en 1912. Ses idées (l'éducation rationnelle) et ses pratiques éducationnelles (dans le mouvement de l'École moderne) ont joué un rôle prépondérant dans l'histoire de l'éducation contemporaine, préfigurant bien des thèmes et des pratiques que le mouvement de l'école nouvelle, notamment, réactivera.

> Nous voulons des êtres humains capables d'évoluer sans cesse, écrivait-il en présentant le but de cette éducation moderne, capables de renouveler sans fin leur environnement et eux-mêmes ; des êtres humains dont l'indépendance intellectuelle sera la plus grande force et toujours disposés à consentir à ce qui est préférable, heureux du triomphe des idées

> nouvelles et justes [...]. La société redoute de tels êtres ; nous ne devons pas espérer qu'elle consentira à l'avènement d'une éducation capable de les former.

Ces idées, amplement inspirées des idéaux de rationalisme et d'émancipation du siècle des Lumières, ont pour une part importante été assimilées par de nombreuses théories et pratiques éducatives du XXe siècle. Le radicalisme qui les inspirait et son ancrage dans un projet de transformation sociale antiétatiste ont, en revanche, été complètement oubliés. Il est pourtant un thème central de la pensée anarchiste sur l'éducation qui, hier encore, était très largement tenu pour allant de soi, mais dont on peut craindre aujourd'hui la redoutable disparition. Pour les anarchistes, en effet, il était crucial de situer le projet d'éduquer dans la perspective large de la production d'individus libres, égaux et souverains, et donc d'affirmer fortement l'irréductibilité d'un tel projet à toute forme d'adaptation fonctionnelle des individus au monde environnant – et pire encore, au seul marché du travail. Cette idée était hier encore très largement tenue pour claire et évidente : John Dewey, qui est sans doute le plus important penseur américain de l'éducation de ce siècle, la considérait comme allant de soi.

On peut craindre que l'on soit en passe, par l'actuelle relégation de l'éducation aux entreprises et dans le contexte de sa commercialisation qui se manifeste aujourd'hui partout, d'oublier ce truisme que l'éducation n'a pas pour première fonction d'adapter les individus au monde du travail et à l'ordre économique. Et si l'actuel corset idéologique confère un caractère sulfureux aux idées pourtant banales de Dewey, cela en dit long sur le monde dans lequel nous vivons où, pour ne m'en tenir qu'à cet exemple, la « pepsisation » de l'université publique, si elle n'est tenue pour allant de soi, n'exige du moins pas plus de justification qu'elle ne suscite d'indignation.

De nos jours, la pensée anarchiste explore encore de nouveaux territoires. Après Ivan Illich dans le monde francophone et John Holt dans le monde anglo-saxon, les anarchistes observent en particulier avec beaucoup d'intérêt – et y participent dans certains cas – les expériences de déscolarisation (*unschooling*) en cours dans la plupart des pays occidentaux. Selon ce point de vue, partagé aujourd'hui par des centaines de milliers d'adeptes (qui sont certes bien loin d'être tous libertaires), que les enfants quittent l'école et commencent à apprendre par eux-mêmes et librement, avec d'autres et par le biais des innombrables moyens permettant aujourd'hui d'apprendre, voilà de loin la meilleure façon pour eux d'acquérir une véritable éducation. Action directe et autogestion se donnent ici encore la main dans une pratique qui refuse tout à la fois l'embrigadement étatique et sa cohorte d'experts prétendus et de bureaucrates patentés, pour miser sur la liberté et le bonheur d'apprendre.

Les analyses et les interventions des anarchistes sur le terrain de l'éducation ne sont pas limitées aux institutions scolaires destinées aux enfants, tant s'en faut. Elles ont également concerné et concernent toujours l'enseignement supérieur et l'université – cette institution que les anarchistes décrivent volontiers comme étant vouée à interdire que certaines questions soient posées, à assurer la domination des Maîtres et la reproduction de cette classe d'intellectuels et de coordonnateurs qui sont servilement sous leurs ordres.

Enfin, plus généralement encore, la réflexion des anarchistes a porté sur le sort réservé dans nos sociétés à la vie de l'esprit. Une fois de plus, la plupart des anarchistes conviendraient à ce propos que la prédiction de Bakounine s'est vérifiée, qui prophétisait l'avènement d'une dictature de savants et d'experts, la pire de toutes selon lui. Chomsky écrit, pour sa part, rigoureusement dans la même perspective :

> Depuis plus de 200 ans, les puissants se livrent à des expérimentations selon les principes les mieux établis de la science économique. Les résultats sont saisissants d'uniformité : gains pour les expérimentateurs; tragédies pour les animaux de laboratoire.

Mais de telles expériences ont, de nos jours, d'autres redoutables moyens que l'éducation pour parvenir à leurs fins, au nombre desquelles figurent en bonne place le projet d'écarter le public des débats qui le concernent et celui de vider le concept de démocratie de toute substance. Parmi ces moyens, chacun le pressent, les médias occupent désormais une place de choix.

L'ORDINAIRE
ET LE STATISTIQUE

IL SEMBLE qu'on ne sache pas qui, de Mark Twain ou de Benjamin Disraeli, a dit qu'il y a trois sortes de mensonges : les mensonges ordinaires, les sacrés mensonges et les mensonges statistiques. Touché, en tout cas, car la formule est juste.

On en tire aussitôt l'enseignement qu'il faut jeter un œil très attentif à toutes ces données dont on nous abreuve, notamment en économie. On devrait notamment toujours se demander comment, par qui et même dans quel but elles ont été produites. Les réponses sont souvent instructives et inattendues. Il peut même arriver qu'elles suggèrent de refaire les calculs sur de nouvelles bases.

Tenez, par exemple : j'ai soigneusement gardé en mémoire ce calcul d'Ivan Illich où il détermine la vitesse sociale de nos voitures, c'est-à-dire celle qu'on établit en prenant en compte leur coût social. Faute de pouvoir donner le détail du calcul d'Illich, j'en rappelle le principe, qui est fort simple. Il s'agit de déterminer combien coûtent à chacun de nous, la voiture, son assurance, son entretien, l'aménagement et l'entretien des routes sur lesquelles elle circule, l'ensemble des coûts liés à son usage – pollution, maladies, blessures, morts et ainsi de suite. Combien gagnez-vous de l'heure ? Combien de kilomètres faites-vous avec cette voiture ? Maintenant : combien d'heures restez-vous immobile à travailler pour gagner de quoi faire rouler la voiture. Résultat de tout cela, d'après Illich ? Nos voitures, au total, vont à peu près à la vitesse des calèches de nos arrière-grands-parents. Nul doute que bien d'autres aspects de la voiture en tant que réponse au problème du transport peuvent, voire doivent, être considérés quand on réfléchit à cette question ; mais il n'en demeure pas moins que l'intérêt de l'exercice est patent. Et autorise à regarder d'un autre œil son prochain quand on le voit, tout fier, rouler à 120 kilomètres-heure sur l'autoroute... Grand fou...

Il m'est arrivé plus d'une fois de rêver à une sorte de manuel d'autodéfense intellectuelle [1].

1. Rêve réalisé avec la parution, en 2005, chez Lux Éditeur, du *Petit cours d'autodéfense intellectuelle*. [NdE]

Je reconnais que, si l'éducation et les médias faisaient vraiment leur travail, ce livre serait totalement inutile ; mais force est d'admettre, à mon sens, que ce n'est pas le cas.

Je mettrais bien des choses dans mon petit manuel, mais en particulier des notions de mathématiques élémentaires dont la maîtrise fait parfois cruellement défaut même à des personnes instruites. Les mathématiques élémentaires sont en effet un puissant et indispensable outil d'autodéfense intellectuelle. De simples notions d'arithmétique suffisent parfois à ne pas s'en laisser conter, à condition bien sûr de vouloir s'en servir, ce qui signifie notamment adopter une attitude critique – on devrait toujours, assure Noam Chomsky, penser à notre cerveau comme à un territoire occupé. Il y a quelques jours, par exemple, un universitaire déclarait devant moi et un auditoire d'intellectuels que 2 000 enfants irakiens mouraient chaque heure depuis 10 ans à cause de l'embargo américano-britannique contre ce pays. Certes, cet embargo est immonde et il constitue un crime sans nom. Mais servons-nous de l'arithmétique : 2 000 enfants par heure, cela fait 17 520 000 enfants par an ; depuis 10 ans ; et cela dans un pays qui compte 20 millions d'habitants...

Un autre exemple ? Joel Best, auteur d'un superbe ouvrage sur les statistiques, raconte qu'il assistait, en 1995, à une soutenance de thèse durant laquelle le candidat invoque le fait que, depuis 1950, le nombre de jeunes tués ou blessés par armes à feu, aux États-Unis, doublait chaque année [1]. Une référence à une revue savante était citée à l'appui de ce fait.

Chacun sait que les États-Unis ont un grave problème avec les armes à feu. Mais, encore une fois avec pour seul outil l'arithmétique, réfléchissons un peu à ce qui est avancé ici.

Posons généreusement qu'un seul enfant a été tué par balle en 1950. On aura donc, selon ce qui est affirmé, deux enfants morts en 1951, puis quatre en 1952, huit en 1953... Si vous poursuivez, vous arriverez en 1965 à 32 768 morts, ce qui est très certainement bien plus que le nombre total de morts par homicides (enfants aussi bien qu'adultes) aux États-Unis durant toute l'année 1965. En 1980, on aurait en gros un milliard d'enfants tués, soit plus de quatre fois la population du pays. En 1987, le nombre de gosses morts par armes à feu aux États-Unis dépasserait ce qui constitue, selon les meilleures estimations disponibles, le nombre total d'êtres humains qui ont vécu sur la terre depuis que notre espèce y est apparue ! En 1995,

1. Joel Best, *Damned Lies and Statistics, Untangling Numbers from the Media, Politicians and Activists*, Berkeley et Los Angeles, University of California Press, 2001.

le nombre auquel on aboutit est si énorme qu'on ne rencontre de pareils chiffres qu'en astronomie ou en économie.

Des notions de statistiques auraient une place de choix dans mon petit livre. Rien de très compliqué encore une fois, mais des outils tout simples dont il suffit parfois de vouloir se servir pour faire tomber le masque de la propagande. Par exemple, apprendre ce qu'est une moyenne, un mode, un médian et pourquoi et comment s'en servir. Et aussi savoir ce qu'est un écart type et une distribution normale : sans cela, on ne peut pas vraiment comprendre ce que signifient les chiffres qu'on nous sert.

Je mettrais aussi dans mon manuel des notions de ce que j'appelle la comptabilité critique. Un exemple, adapté d'un petit ouvrage classique de Huff[1].

Considérez les données financières suivantes concernant deux compagnies.

Compagnie A	
Salaire moyen des employés	22 000 $
Salaire moyen et profits des propriétaires	260 000 $
Compagnie B	
Salaire moyen	28 065 $
Profits moyens des propriétaires	50 000 $

1. Darrell Huff, *How to Lie With Statistics*, New York, WW. Norton & Company, 1954.

Pour laquelle de ces deux compagnies préféreriez-vous travailler ? De laquelle voudriez-vous être le propriétaire ?

En fait, votre réponse importe peu, puisqu'il s'agit dans les deux cas de la même compagnie. Et je précise tout de suite qu'on n'a pas réellement « triché » (au sens usuel du terme) avec les données. Comment cela est-il possible ? C'est en fait fort simple.

Posons que trois personnes sont propriétaires d'une entreprise qui emploie 90 salariés. À la fin de l'année, elles ont payé à ces derniers 1 980 000 $ en salaires. Les trois propriétaires ont touché chacun un salaire de 110 000 $. On constate au terme de l'exercice qu'il reste 450 000 $ de profits, somme à partager entre les propriétaires de l'entreprise.

On peut exprimer ceci en disant que le salaire annuel moyen des employés est de : 1 980 000 $ divisé par 90, soit 22 000 $; tandis que les revenus des propriétaires s'obtiennent en additionnant, pour chacun, son salaire et la part des profits qui lui revient, ce qui donne :

$$110\,000\ \$ + \left(\frac{450\,000\ \$}{3}\right) = 260\,000\ \$$$

Voici notre compagnie A. Elle présente d'excellents chiffres, qu'il pourra être avantageux de présenter en certaines circonstances, notamment si vous êtes au nombre des propriétaires.

Mais supposons que les propriétaires veulent plutôt faire ressortir leur profond humanisme et le sens de la justice qui les habite.

Si les chiffres précédents semblent peu indiqués pour ce faire, on peut alors prendre 300 000 $ sur les profits et répartir ce montant, en tant que bonus, entre les trois propriétaires. Puis, on calculera la moyenne des salaires en incluant cette fois ceux des trois propriétaires dans le calcul. On a donc un salaire moyen de :

$$\frac{1\,980\,000\ \$ + 330\,000\ \$ + 300\,000\ \$}{93} = 28\,065\ \$$$

Et les profits des propriétaires sont bien de : 150 000 $/3 = 50 000 $ chacun. Voici notre compagnie B.

Cet exemple est extrêmement simplifié. Il faut savoir que, dans la réalité – le premier comptable venu vous le confirmera –, on peut faire bien mieux – ou bien pire – que cela !

Autre exemple : le taux de chômage a fait, en 1999, un bond prodigieux en Grande-Bretagne : 500 000 chômeurs de plus d'un coup. Le taux de chômage qui passe comme ça, pfitt, de 5 % à 7 %. Quelle calamité a donc frappé ce haut lieu du néolibéralisme ? Aucune. On vient simplement de changer la définition de « chômeur ». On l'a fait 32 fois en 18 ans dans ce pays, et toujours pour diminuer le nombre des exclus du boulot. Et ce fut, pour une fois, pour l'augmenter. Le même genre de principe prévaut parfois quand les entreprises déclarent tantôt des revenus, tantôt des pertes…

Ça me rappelle cette noble histoire que connaissent bien tous les étudiants en comptabilité.

Le chef d'entreprise, s'adressant au candidat comptable :

— Alors, combien font 2 et 2 ?

— Combien souhaitez-vous que cela fasse ? répond le candidat.

— Embauché !

Combien voulez-vous de chômeurs ? Aux États-Unis, si on comptait correctement les chômeurs, leur taux serait plus proche de 12 % que de 5 %. Et je n'ai encore rien dit de la notion de « taux de chômage naturel » (*sic*) concoctée par la science économique.

Une autre mesure qui me fait bien rigoler depuis des lustres, c'est le PIB. Je vais vous tricoter une belle petite histoire pour me faire bien comprendre.

Il était une fois Jean et Joanne. Ils habitent une petite maison payée pas cher, située sur un immense terrain au bord d'un lac. Le paysage est fabuleux. Font pousser des bijoux et fabriquent des chèvres. Élèvent Popaul, six mois. Ne consomment à peu près rien. Participent à plein à la vie du village. Lisent. Font l'amour.

N'ont pas la télé. Résultat ? Ces gens-là sont une calamité pour le PIB.

Maintenant, changeons le scénario. Jean s'ennuie. Décide d'aller bosser en ville. S'achète une bagnole, l'immatricule, l'assure, tout ça. Bouffe en ville. Rentre tard. Joanne s'ennuie. Se prend un petit boulot. Popaul entre en garderie. Un soir, Jean a un accident : un peu amoché, il frappe un gosse. La grosse tuile. Embauche un avocat pour se défendre. Joanne commence à en avoir marre. Demande le divorce. Deux avocats de plus dans la galère. La maison et le terrain sont à vendre. Un promoteur immobilier achète. Popaul trouve que la vie est moins marrante. Jean est à bout de nerfs. Finit par être acquitté, mais crac, se chope un infarctus. Hôpital. Mal soigné. Poursuit son médecin. Gagne une fortune au terme d'un long procès. Rachète son terrain et fait construire une route qui défigure la moitié du paysage. Met dessus un hôtel moche. Les touristes affluent et avec eux les M jaunes hideux des *fast foods* et tous leurs semblables. Le fric coule à flots. Jean décide de monter une entreprise chimique sur le terrain. Pollue le lac à mort. Est pris sur le fait. Doit dépolluer. Tant qu'à y être, décide de se lancer dans la vente d'eau dénitratisée en bouteille : il y a des clients pour ça (« Plus l'eau sera sale et rare, plus la croissance sera importante », selon l'oncle Bernard de *Charlie Hebdo*).

Aux dernières nouvelles, Jean pense aller investir en Indonésie. Ou dans Bombardier Shorts Missiles, vu que la mort c'est bon pour la croissance. Car vous avez deviné : ce coup-ci, tout est très bon pour le PIB. C'est la croissance, tout repart. Nous sommes heureux.

On se tâte. On se dit que quelque chose devrait être établi qui soit un peu moins crétin pour mesurer ce que signifie l'économie en ces jours où l'accroissement du PIB est donné pour le seul objectif qui soit digne de nous, fiers conquérants du monde, et pour synonyme de bonheur sans mélange.

Certains économistes s'y sont mis. L'ONU est partante, modestement. Herbert Simon, prix Nobel, applaudit à l'idée. Mais c'est le groupe Redefining Progress, de San Francisco, qui a poussé le plus loin la réflexion. En lieu et place du *GDP* (le PIB en anglais), il propose un GPI, ou *Genuine Progress Indicator*, ce qu'on pourrait traduire en français par « Véritable indicateur de progrès », ou VIP. Je ne suis pas en mesure de vous dire si sa façon de l'établir est irréprochable, mais je suis convaincu que, dans son principe, la démarche est saine.

Le VIP prend en compte un indice des inégalités, le chômage, le sous-emploi, mais aussi le sur-travail et le temps libre, le travail domestique et les activités non phagocytées par le marché, la criminalité, des tas de données relatives à l'environnement, etc. Au total, on aboutit à ceci : aux États-Unis, entre 1950 et 1994, le PIB par habitant est passé de 12 000 $ à 26 000 $ par an alors que le VIP est passé de 8 000 $ à 7 000 $, avec une pointe en 1973 à un peu plus de 10 000 $, en chute libre depuis lors.

Les chiens ont soif

Ah ! le modèle américain ! Le modèle québécois est pourri, c'est entendu, mais le modèle américain, alors : quelle classe, quel génie, quelle noblesse ! Surtout en matière de santé.

Tel était, cette semaine encore, le message de la propagande, commandité notamment par Power Corporation et autres bourre-cerveaux à la Claude Picher.

Parlons-en donc, du modèle américain. Et rappelons quelques chiffres qui ne font pas les manchettes, mais que chacun pourra vérifier s'il le souhaite.

Le modèle américain ? Ses quelque deux millions de personnes en prison et son système carcéral qui se privatise, ce qui permet de faire du fric avec les taulards et de « créer de l'emploi ». Ses millions de « découragés » et de travailleurs involontairement à temps partiel qui feraient monter à 10 % le taux de chômage si on les comptait comme on le fait ailleurs, ses villes de riches grillagées et ses belles armes en vente chez Wal-Mart. Sa légendaire « insécurité des travailleurs » que chantent périodiquement tous les Alan Greenspan de la Réserve fédérale, parce qu'elle permet le boum de Wall Street, cette Bourse dont la moitié des actifs appartient à 1 % de la population, 10 % se partageant presque tout le reste. Ah ! le modèle américain, avec sa fantastique flexibilité des travailleurs dont 80 % ont, en 1998, un salaire médian inférieur à celui de 1973 ; le modèle américain avec sa famille moyenne qui travaille, en heures additionnelles, l'équivalent de 15 semaines de plus par an qu'en 1970 pour des revenus qui stagnent ou qui diminuent ; le modèle américain avec ses 15 millions de pauvres qui sont à moins de 50 % du seuil de la pauvreté (ils étaient 7,7 millions en 1975).

La santé ? Je ne sais pas si vous avez noté, mais les chiffres que je viens de citer concernent la santé, si on ne donne pas un contenu idiot à ce terme : la santé, pardon du truisme, ce n'est pas seulement des appareils de haute technologie qui soignent, c'est aussi un environnement qui ne rend pas malade. Mais si on veut des données plus pointues, n'oublions pas ces 40 millions de personnes, aux États-Unis, qui n'ont absolument aucune assurance de soins de santé, ni ce taux de mortalité chez les hommes noirs de New York qui concurrence celui du Bangladesh, ni ces bébés de petit poids (toutes couleurs confondues) presque deux fois plus nombreux qu'en Europe de l'Ouest, ni le fait que les États-Unis figurent au 23e rang mondial pour la mortalité infantile.

Depuis toujours, la référence des activistes et militants américains en matière de soins de santé, c'est le système que nous avons mis en place ici et qu'ils regardent avec envie, ce système que le NPD a inauguré en 1961 en Saskatchewan (non, il n'a pas été créé de toutes pièces par M. Castonguay qui publie sa prose dans *La Presse*-Power Corporation-Great West). Ces activistes ont bien raison : s'il y a un modèle au monde à ne pas imiter, c'est bien celui des États-Unis.

Le grand public américain ne s'y est pas trompé non plus : depuis plus de 40 ans, année après année, sondage après sondage, avec une constance remarquable, nos voisins du Sud favorisent, dans une immense majorité, un système de santé comme le nôtre. Ce qui est compréhensible mais quand même étonnant. Compréhensible car, avec sa bureaucratie pire que la nôtre et son peu de souci de la prévention, le système de santé américain est une honteuse calamité qui profite surtout aux mieux nantis et aux compagnies d'assurances et pharmaceutiques. Mais cette préférence du public américain est aussi étonnante dans la mesure où l'option d'un système de santé à la canadienne n'est que rarement évoquée dans les médias américains et que, lorsqu'elle l'est, c'est le plus souvent pour la dénigrer ou la déclarer *a priori* impraticable. Au Canada, seuls 5 % de la population favorisaient le système américain encore récemment.

Aux yeux des Maîtres, c'est intolérable. Heureusement, les temps changent et les compressions budgétaires, réclamées à grands cris par eux comme autant de massues pour taper sur la tête du public, ces compressions, donc, font leur œuvre sur ce système. En ce moment même, les ratés (bien réels) induits par ces compressions fournissent aux lèche-bottes des Maîtres de grandes occasions de se manifester et de chanter les louanges du modèle américain. Je tiens à le dire : ce que j'ai lu, vu et entendu cette semaine à ce propos est à chialer. Ceux-là mêmes qui lui ont arraché les yeux se posent aujourd'hui en sauveurs du public ; bientôt, ils vont nous demander de les remercier en passant à la caisse où ils nous vendront des lunettes ou des cannes blanches. Un exemple ? Ces temps-ci, les CLSC sont dans la ligne de mire. Notez bien : ces même CLSC que le virage ambulatoire nous a vendus en nous promettant de les mettre en première ligne et qui n'ont jamais reçu les budgets leur permettant de remplir ces nouvelles fonctions. Ces CLSC auxquels on reproche de ne pas faire ce qu'on ne leur permet pas de faire.

Reste un problème pratique : comment vendre à des gens un système dont ils ne veulent pas ? Ce qui précède donne une partie de la réponse. Le reste peut être déduit par un examen de ce qui s'est passé il y a quelques années aux États-Unis. À la fin des années 1980, la pression publique avait réussi à mettre à l'ordre du jour la création d'un système de soins de santé digne de ce nom, qui aurait permis aux États-Unis de rejoindre tous les autres pays industrialisés. Il était hors de question que le projet aboutisse. La commission chargée d'étudier l'opportunité de la réforme était dirigée par John D. Rockefeller ; Burson-Marsteller, la firme de relations publiques, fut embauchée ; des pubs ignobles furent diffusées ; des mensonges ; de la crasse. Un cas d'école, vraiment, de manipulation du public. L'enjeu : du profit pour quelques firmes ou de la santé pour tous. Le public a persisté dans sa demande, mais il a perdu.

Ici ? Regardez-les aller. Lisez leurs journaux ; écoutez leurs stations de radio ; regardez leurs chaînes de télévision. Les chiens ont soif. À défaut d'une vaste mobilisation populaire, c'est foutu je le crains pour les soins de santé qu'on avait ici. Il va falloir se battre avec acharnement et exiger qu'on finance adéquatement notre système de santé. L'ennemi est énorme, mais, comme toujours, pas invincible, si seulement on s'y met tous ensemble.

On ira tous au paradis... fiscal

Le problème avec les courses de rats,
c'est que même si on gagne, on reste un rat...

Lily Tomlin

À l'automne 1998, pour la modique somme de 200 $, vous pouviez assister, dans un chic hôtel de Montréal, à un important – et éventuellement très lucratif – séminaire commandité par trois firmes comptables : Coopers Lybrand, Deloitte et Touche et KPMG.

Des firmes comptables... c'est-à-dire, si l'on y pense, des champions du déficit zéro, des hérauts du « il faut nous serrer la ceinture », qui n'ont de cesse de nous dire qu'il faut cesser de payer pour les services publics et pour les programmes sociaux. De sympathiques amis qui se joignent au chœur de tous ceux qui nous répètent *ad nauseam* que la déréglementation et la mondialisation, c'est super et qu'il faut dire mort aux BS fraudeurs, et gnagnagna.

Je vous ferai un aveu : j'ai trouvé ça marrant, marrant à rire aux larmes, de constater ce que disent ces braves gens dès qu'on a le dos tourné.

Le séminaire des camarades portait sur les avantages d'investir dans un paradis fiscal, les îles Turks et Caicos. Il a eu lieu en présence du gouverneur des îles, John Kelly. Ce qu'on enseigne, dans le séminaire des margoulins ? Nos fanas du déficit zéro enseignent à ne pas payer d'impôt. Mais rassurez-vous : tout est légal, là-dedans... à défaut d'être moral.

On vous vante donc les mérites de cette colonie britannique où il n'y a pas de taxes, de ce paradis sans impôt sur les gains en capital, sans impôt sur le revenu, sans impôt sur les successions. Et ça marche très fort. Ces îles, qui ont désormais plus de compagnies que d'habitants – chose banale pour un paradis fiscal – ne cessent de venir marauder chez nous. La majorité des compagnies appartiendraient d'ailleurs à des Canadiens.

Selon le Vérificateur général, qui tire la sonnette d'alarme depuis 1992, ce sont au moins plusieurs centaines de millions de dollars qui échappent ainsi à l'impôt chaque année par ce moyen. Combien d'hôpitaux ça représente ? Calculez.

Comme dans les autres paradis fiscaux, deux véhicules sont proposés. En gros : les corporations, pour les entreprises ; et les fiducies, pour les particuliers. Dans le premier cas, par le jeu des dividendes, le fric revient ici exempt d'impôt... puisqu'il a été déjà imposé – mais imposé là où il n'y a pas ou à peu près pas d'impôt : 2,5 % à la Barbade, 0 % aux îles Turks et Caicos. Ici, le taux moyen avoisine 38 %.

Dans le cas de blanchiment d'argent – mais les îles ne font pas ça, bien sûr (!) – il y aurait toujours la possibilité de noyer toute cette poutine dans les méandres de compagnies à numéro où le fisc se perdrait assurément.

Les fiducies, maintenant. Elles s'adressent aux particuliers et remplissent deux fonctions. La première : la protection d'actifs. Facile à comprendre : c'est ce qu'a fait notre ami de Bre-X. Ça revient à dire : « On peut me poursuivre : millionnaire, je n'ai plus rien. » La deuxième : c'est un outil de planification fiscale fabuleux. Au fond, il s'agit d'une entité par laquelle les biens, le fruit de ces biens, sont indépendants de celui qui les possède. Plus de lien, ni juridique ni fiscal, entre vous et eux. Le lieu de résidence, pour l'impôt, c'est là où résident les fiduciaires, là où l'on ne paie pas d'impôt. Paradoxal ? Certainement. Mais exactement comme cet extrait de l'annonce que les organisateurs du séminaire ont fait paraître dans l'hebdomadaire *Les Affaires* : « Les conférenciers traiteront des diverses façons de profiter de ce paradis fiscal, [...] des avantages de devenir non résidant du Canada tout en demeurant citoyen canadien. »

Ça ne s'invente pas, je vous jure, et il faut avoir fait des études de comptabilité pour comprendre : citoyen du Canada qui y fait son beurre en bénéficiant de tout ce que les citoyens se paient par l'entremise de leurs impôts, mais en même temps non résidant parce que ne payant aucun impôt au Canada. Le nirvana.

Oui, mais la loi de l'impôt, chez nous, n'oblige-t-elle pas à divulguer notre revenu mondial ? Certes, certes... Mais on vous l'a dit : c'est légal. Et aux îles, toute personne qui divulgue des renseignements confidentiels est passible d'une forte amende et d'emprisonnement. Les infos ne sont pas disponibles pour les gouvernements étrangers qui font enquête. Remarquez bien : vous faites ce que vous voulez. Mais je le répète : c'est légal. Et si vous voulez parler de votre cas particulier, venez par ici : le séminaire a prévu des bureaux privés aménagés pour cela.

Un beau séminaire. Des dizaines de bureaux comptables, de bureaux d'avocats, de courtiers en valeurs mobilières, de conseillers en placement étaient présents, avalant goulûment les paroles des experts réunis pour l'occasion. Ensuite, ils sont allés annoncer la bonne nouvelle à leurs milliers de clients, aux filiales des banques. Qui le répéteront.

Les paradis fiscaux ont sans doute à peu de choses près fait le plein chez les gens très fortunés. Ils s'attaquent maintenant à la clientèle de la classe moyenne aisée. Des indices qui ne trompent pas : l'idée a sa revue, *Offshore Finance Canada*, consacrée exclusivement aux paradis fiscaux ; un ouvrage, *Take your money and Run!* (« Prends ton oseille et tire-toi ! »), publié par Harris and Harris et consacré aux paradis fiscaux, en est chez nous à plus de 80 000 exemplaires vendus.

Partout, on le répète : l'impôt est une mauvaise chose, il faut en payer le moins possible, on en paie déjà trop, et gnagnagna. Les attaques pleuvent, pour une rare fois à l'unisson, contre ce que tout le monde dénonce comme un mal.

On s'attaque en fait à une des (rares) choses véritablement saines de notre système économique et politique, une de celles qu'il faut défendre puisqu'elle est la condition de la solidarité, de la justice, de l'équité : l'impôt, la taxe progressive. Mais l'exemple vient de haut, et même de très haut, n'est-ce pas, monsieur Paul Martin ? Salauds de BS fraudeurs, ordures de pauvres qui trichent, hein, monsieur Gilles Proulx ? L'impôt, il faut en diminuer la progressivité, hein, monsieur Bernard Landry ?

Demain, si ça continue, on ira tous au paradis fiscal. Ce sera l'enfer.

Un vieux rêve des Maîtres : l'impôt proportionnel

Commençons par quelques remarques d'ordre général, histoire de mettre en contexte cet important débat sur l'impôt qui s'annonce aussi bien au Canada qu'au Québec et dans bien d'autres pays industrialisés.

En droit, les démocraties comme la nôtre sont censées comprendre un espace public dans lequel des enjeux sont débattus. Au sein de cet espace de délibération, constitué dans une mesure non négligeable par l'univers des médias (lesquels sont presque totalement la propriété de ces institutions dominantes de notre temps que sont les entreprises), chacun, encore une fois en droit, peut faire entendre sa voix, prendre part au débat et l'influencer.

La pratique, comme on sait, s'éloigne, le plus souvent très considérablement, de cet idéal.

D'une part, une longue tradition assure que la populace est incapable de fournir l'effort que demande la vie démocratique et que les enjeux débattus sont irrémédiablement hors de sa portée : il vaut donc mieux l'écarter du débat public. Un nombre impressionnant de techniques, d'institutions, de pratiques ont été élaborées dans ce but. D'autre part, les débats sont fatalement influencés par le poids et le pouvoir des intervenants. Au principe démocratique une personne/une voix tend alors à se substituer le principe oligarchique un dollar/une voix. Il s'ensuit que les débats auront tendance à être formulés et présentés dans des termes qui reflètent largement les désirs et les aspirations des pouvoirs, des acteurs et des institutions dominants. Ceux-là, notons-le aussi, ne présentent pas une complète et constante uniformité de vues.

Au total, aucun pouvoir politique important n'a guère de chance d'être élu, chez nous comme dans les autres démocraties actuelles, s'il n'a l'aval des institutions dominantes, au premier rang desquelles il faut placer les entreprises et, plus généralement, les grandes institutions économiques. Il est ainsi bien connu que les *think tanks* des gens d'affaires jouent au Canada un rôle crucial dans le choix du candidat et du parti qui seront portés au pouvoir. Pour s'en tenir à des exemples récents, il est hors de tout doute que, dans une substantielle mesure, Brian Mulroney a dû son ascension à de tels appuis. Jean Chrétien également. Or, bien des indices, depuis quelque temps, donnent à penser que ce dernier ne convient plus aux Maîtres, ou du moins à certains d'entre eux, qui souhaitent passer à la vitesse supérieure dans la mise en œuvre de leur programme « néolibéral ». Et c'est ainsi qu'un nouveau candidat, plus conforme à leurs aspirations, est en train de faire sa place sur l'échiquier politique canadien : Stockwell Day. Passons sur le conservatisme social de ce dernier, et aussi sur la profonde et dangereuse débilité de certaines de ses positions inspirées de la droite religieuse la plus dure, et venons-en plutôt à un aspect de ce qu'on nomme pudiquement son « conservatisme économique » : l'impôt à taux uniforme (*flat rate*) ou, comme on dit aussi, l'impôt proportionnel.

Pourquoi cet intérêt soudain pour cette idée ? D'où vient cette idée ? Que signifie-t-elle précisément ? Et pourquoi faut-il s'y opposer de toutes nos forces ?

De passage au Québec en juillet 2000, Stockwell Day en a profité pour mettre abondamment de l'avant cet élément-clé de son programme, l'impôt proportionnel, matraque destinée à être utilisée contre les plus démunis et artifice qui permettra de leur faire payer des réductions d'impôt destinées aux plus puissants. Ce n'est pas une vaine promesse que fait Day, cet « entrepreneur politique (*sic* !) de l'impôt proportionnel » comme l'appelle Jean-Luc Migué, et ce qu'il suggère aux contribuables canadiens, il l'a déjà mis en place en Alberta où, grâce à ses bons soins, une politique d'abolition des paliers d'imposition sur le revenu a été adoptée pour les remplacer par un taux unique de 11 %, applicable à tous les contribuables. Pour le Canada, la proposition avancée est un taux de 17 %. En termes clairs : tout le monde, peu importe son revenu, paierait 17 % de ce revenu en impôt. À cela s'ajoute une hausse du montant personnel de base, qui passe à 10 000 $.

Bien des gens réagiront à cette proposition en s'exclamant : « Moins d'impôt, youpi ! Nous sommes honteusement surtaxés, enfin un peu d'air frais ! »

C'est précisément le bon gros piège à cons dans lequel on espère nous faire tomber. Et vous pouvez me croire : on va mettre en œuvre tous les moyens pour y parvenir, ce qui veut notamment dire : mensonges, propagande, démagogie et occultation de faits cruciaux. Ce travail est maintenant commencé au Québec et, à tout seigneur tout honneur, la charge est menée par *La Presse*.

Le 26 juillet 2000, en page B2, *La Presse* publie ainsi une lettre de Jean-Luc Migué, de l'Institut économique de Montréal. Cet Institut est en fait un *think tank* de la droite qui s'applique depuis quelques mois déjà à faire la promotion de l'impôt proportionnel – à l'aide d'arguments que nous examinerons plus loin. Le lendemain, Claude Picher, le tellement drôle (il vaut mieux en rire...) chroniqueur économique du quotidien, saisit ce prétexte pour vanter et le message (l'impôt à taux uniforme) et le messager (M. Migué). *Asinus asinum fricat*; l'âne flatte l'âne, comme on disait autrefois. Le 1er août, Picher revient à la charge. Et le 26 août, *La Presse* publie un long texte de Day lui-même (ainsi qu'un texte un tantinet critique), ce qui permet à Picher d'en rajouter encore une louche sur ce qui constituera, assure-t-il, « l'enjeu majeur de la prochaine campagne électorale ».

Drôle peut-être, le Claude Picher, mais, hélas, il se pourrait qu'il ait raison sur ce point précis. Mais ce ne sera pas parce que le public l'a choisi. Car, notez-le : sondage après sondage, depuis des années, les Canadiennes et les Canadiens, comme les Québécoises et les Québécois, placent au sommet de leurs priorités la défense du service public érodé par des années de coupes sévères et en particulier la santé et l'éducation, l'impôt ne venant que loin derrière. Mais peu importe puisque les Maîtres souhaitent une réduction des impôts ainsi qu'une destruction puis une privatisation des services publics.

Préparons-nous donc à nous battre sur ce terrain, puisque ce sont eux qui choisissent les termes du débat.

Si les questions relatives à l'impôt peuvent rapidement devenir obscures, les principes en jeu sont, somme toute, élémentaires. Car qu'est-ce que l'impôt ? Tout simplement un revenu du gouvernement qui, lui, l'affecte à des dépenses. Il s'ensuit que nous devrions nous intéresser simultanément à la provenance de ce revenu et à la nature de ces dépenses – étant admis qu'il est absolument déplorable qu'une subvention soit accordée à des tyrannies privées (par exemple à Bombardier, pour ne pas prendre un exemple au hasard, qui l'utilisera pour fabriquer des missiles), tandis que la création d'une école ou d'un hôpital publics est une excellente chose.

Mais restons-en pour le moment à la question de la provenance des revenus. Ici, un principe domine tous les autres : celui de la progressivité de l'impôt. Il faut absolument que vous compreniez de quoi il retourne... Les impôts – il en est de toutes sortes – peuvent être progressifs ou régressifs, selon que le taux d'imposition augmente (ou non) avec le revenu.

Au Canada, nous avons aujourd'hui un impôt progressif à trois paliers selon le revenu imposable (17 %, 24 % et 29 %), ce qui est vraiment minimal – nous avons eu, dans les années 1960 et 1970, jusqu'à 10 paliers d'imposition. Au Québec, nous avons actuellement trois paliers : 20 %, 23 % et 26 %, après en avoir connu également un grand nombre, hier encore. Cela signifie donc en droit que vous devez payer plus d'impôt à mesure et à proportion que vos revenus augmentent [1]. Je dis bien en droit, puisque dans les faits il n'y a rien qu'un bon comptable ne puisse au moins un peu arranger si vous avez quelques biens et si vous brassez quelques affaires – et cela en toute légalité à défaut de légitimité...

Bien que sérieusement amochée, cette progressivité de l'impôt constitue cependant un outil démocratique de promotion de la justice (sociale et économique) absolument fondamental. On peut, en simplifiant beaucoup, ramener à quatre les principaux arguments en sa faveur.

1. Notons que puisque l'impôt est calculé par palier d'imposition, tous les contribuables paient le même taux d'imposition pour un revenu imposable n'excédant pas 29 500$, soit 17 %. De même, pour les revenus imposables situés entre 29 500$ et 59 180$, un taux de 24 % sera appliqué pour tous les contribuables ; pour les revenus imposables excédant 59 180$, on applique un taux de 29 %.

Premièrement, la compensation des inégalités de fait au nom de l'égalité de droit. L'idée est ici que les inégalités (de fortune, de bien-être, de pouvoir, de prestige et ainsi de suite) qu'on observe entre divers êtres humains dans une société donnée sont, au moins en partie, une résultante arbitraire qui naît de la rencontre contingente entre des circonstances collectives et des caractéristiques individuelles. Et c'est pourquoi on conclut qu'il est légitime, au nom de l'égalité de droits entre individus, de réduire ces inégalités, notamment par la progressivité de l'impôt.

Deuxièmement, la maximisation du bien-être collectif et le déclin de l'utilité marginale du revenu. Je pourrais expliquer tout cela en termes très complexes, mais le fait est qu'on peut en faire comprendre l'essentiel en quelques mots. L'idée est ici que, pour quelqu'un de très riche, l'ajout d'un dollar à sa richesse ne procure pas autant de bien-être que l'ajout de ce même dollar au revenu de celui qui est très pauvre – et inversement. En d'autres termes, taxer Bill Gates pour lui prendre sur son dernier 100 $ et le remettre à une mère de famille monoparentale est donc défendable.

Troisièmement, la légitimité pour la collectivité de réclamer (puis de redistribuer) la juste part de sa contribution à la richesse d'un individu. Ce qui signifie que le revenu (la richesse) d'un individu n'est pas seulement fonction de variables individuelles sur lesquelles cet individu aurait pleine maîtrise, mais dépend aussi de variables collectives et d'institutions communes. Comme tout accroissement de richesse individuelle suppose une utilisation à proportion de ces biens communs, il n'est que justice que, par la progressivité de l'impôt, la collectivité reprenne la juste part de sa contribution. Certes, on peut débattre (et on a débattu) de la détermination précise de cette juste proportion. Mais le principe reste sain. En termes plus simples : vous êtes pauvre et vous utilisez les transports en commun ; tel autre est très riche et ses 5 000 camions utilisent abondamment les routes payées et entretenues par la collectivité. La progressivité de l'impôt fait en sorte qu'il paie sa juste part de ces frais. Notez aussi que les billets de transports en commun constituent pour les pauvres qui les utilisent une taxe, régressive celle-là. Quoi qu'il en soit, un intéressant corollaire de cette idée est que les impôts progressifs permettent aussi de réparer, à leur juste proportion, les dommages causés aux biens collectifs qui sont fonction de l'intensité de leur utilisation. Pour bien me faire comprendre : vous allez une fois par an à la mer et vous pissez accidentellement dedans ; Total Fina y déverse des tonnes de mazout... et c'est pourquoi Total Fina doit être soumise à un impôt progressif.

Quatrièmement, la réduction des inégalités. L'idée est ici que les inégalités (au moins à un niveau dont la détermination peut faire l'objet de longs débats...) ne sont souhaitables ni moralement, ni socialement, ni politiquement. Elles détruisent la démocratie, érodent la solidarité, menacent le sens de la communauté sans lequel la vie collective est impossible. La progressivité de l'impôt permet, au moins en partie, de résorber ces inégalités.

Il faut le dire : l'application de ces principes a depuis des années fait l'objet de bien des débats. Mais leur pertinence et leur légitimité étaient communément admises et c'est d'ailleurs pourquoi les systèmes d'imposition de la plupart des pays civilisés sont progressifs. Et pourtant, ce sont justement la pertinence et la légitimité de ces principes que remettent en cause les partisans de l'impôt à taux uniforme, s'inspirant notamment d'une conception libertarienne des droits et d'une conception régalienne de l'État.

Jusqu'ici les Maîtres n'avaient guère osé proposer sérieusement d'implanter un impôt proportionnel. Certes, il y a quelques années, Steve Forbes a bien tenté une campagne présidentielle qui reposait sur ce point, aux États-Unis ; mais ce fut sans grand succès.

L'idée est pourtant ancienne et, si on en croit un éminent philosophe et économiste, Ronald Reagan, il ne s'agirait au fond que du vieux principe de la dîme : un dixième de ton salaire va à l'Église, point à la ligne et peu importe ce que tu gagnes. Dix-sept pour cent de ton revenu va à l'impôt, peu importe ce que tu gagnes, reprennent en chœur Day et consorts. Quelles meilleures cautions demander que la religion et Ronald Reagan ? Vous n'êtes pas convaincu ? Vous préféreriez des arguments ? Vous avez raison. Les partisans de l'impôt à taux uniforme en ont quatre. Examinons-les tour à tour.

L'impôt à taux uniforme est plus simple. Vous croyez à une blague ? Moi aussi, c'est ce que j'ai d'abord cru. Et pourtant, non : l'argument de la simplicité est bel et bien employé par les zélateurs de l'impôt à taux uniforme. Picher, qui n'en rate pas une, écrit ainsi :

> L'autre avantage du taux uniforme, c'est évidemment sa simplicité. Cet argument séduira sûrement de nombreux Québécois obligés de se taper deux formulaires d'impôts d'autant plus complexes que les sadiques de Revenu Québec prennent un plaisir évident à multiplier les tracasseries inutiles.

Entendons-nous bien : la loi de l'impôt est complexe, c'est vrai. Toutes les échappatoires qui permettront aux nantis de ne pas payer leur juste et légitime part finissent par faire des pages et des pages de réglementation ; mais cela n'a absolument rien à voir avec la progressivité de l'impôt. Et il est honteusement faux de prétendre que ce serait là une chose complexe et qu'il faudrait impérativement la simplifier. Un enfant de sept ans pas trop anormalement sous-doué comprend le principe en jeu et sait comment l'appliquer. Un revenu imposable étant donné, on lui applique celui des trois taux qui correspond à son niveau. Il y aurait 42 paliers que ce serait encore très simple : les problèmes de complexité de l'impôt ne se trouvent pas là mais dans la détermination du revenu, ce que l'impôt proportionnel ne simplifierait aucunement. Qui plus est, pour l'immense majorité des contribuables, remplir une déclaration d'impôts est une chose fort simple : un revenu, sur un T4 ; un montant à payer ou à percevoir. Passons donc à des choses plus sérieuses, voulez-vous ?

L'impôt à taux uniforme va accroître la productivité de l'économie et diminuer le chômage... Dans un débat comme celui-là, de deux choses l'une : soit les faits ont de l'importance, soit ils n'en ont pas. Si les faits n'ont aucune importance, qu'on le dise. On saura alors qu'on nage en pleine soupe théologique et qu'on peut raconter absolument n'importe quoi, à l'instar, par exemple, d'Alain-Robert Nadeau dans *Le Devoir* du 30 août : « Cette mesure (l'impôt proportionnel) encourage l'effort et favorise l'excellence » et on « aurait tort dans le contexte de la mondialisation de minimiser l'importance stratégique de l'excellence ». Ah ! l'excellence, votre Excellence ! Son importance stratégique, votre Grandeur ! Et la mondialisation, patapon, votre Sainteté ! Mais pourquoi ? Où ça ? Comment ? Peu importe, si nous sommes en théologie, ces questions ne se posent pas. Mais si, au contraire, les faits ont de l'importance, alors on va y voir. Et ce qu'on découvre ne correspond aucunement à ce que nous racontent les chantres de l'impôt à taux uniforme. Mieux : les chiffres de l'OCDE invitent plutôt à penser exactement le contraire.

L'argument de l'accroissement de la productivité est le même qu'on nous ressert inlassablement sous différentes formulations depuis trois décennies. Il est connu sous le nom de *trickle-down economics* (théorie économique de l'effet de ruissellement). Cet argument, que John Kenneth Galbraith a qualifié de « forme subtile de fraude intellectuelle » (il a légèrement tort : ce n'est même pas subtil...) dit ceci : si on n'entrave pas la marche glorieuse des fiers entrepreneurs créateurs d'emploi, ceux-là vont travailler, économiser et investir sans répit, ce dont tout le monde va bénéficier. Or, l'impôt est considéré (avec tant d'autres choses) comme une entrave, un frein à leur glorieux empressement. Laminons l'impôt (puis tout le reste, idéalement) et tout le monde ne s'en portera que mieux. Amen.

L'ennui, c'est que les faits ne confortent pas, loin de là, ce bel optimisme et ne permettent pas du tout de conclure à une relation causale entre taxation et productivité ou croissance.

En fait, et selon les chiffres de l'OCDE – qui n'est pas exactement un repaire de gauchistes –, on constate même plutôt que des pays ayant des niveaux de taxation les plus élevés, comme la Norvège ou le Danemark, ont aussi des niveaux de croissance du PIB par habitant des plus élevés. À l'inverse, des pays ayant de faibles taux de taxation présentent une croissance parmi les plus faibles, comme le Royaume-Uni. Certes, et j'en conviens, corrélation n'est pas causalité ; mais le fait est que cette relation se vérifie encore si on examine cette fois la relation entre le taux de taxation et la productivité.

Voici un tableau indiquant divers indicateurs macro-économiques de 1950 à 1960 d'abord, puis de 1981 à 1997 et en isolant, pour finir, les années 1990-1997. La période 1950-1960 appartient à ce qu'on nomme couramment les Trente glorieuses. Ce furent des années de forte croissance, mais aussi de fort investissement de l'État dans l'économie et de forts taux d'imposition pour les entreprises. Ce furent aussi des années au cours desquelles le taux marginal d'imposition pour les hauts revenus était de plus de 80 %. Observez attentivement ce tableau. Encore une fois, corrélation n'est pas causalité ; mais s'il signifie quelque chose, c'est qu'il vaudrait mieux, si on a à cœur la croissance économique, augmenter les impôts de certains contribuables.

Tab. La récession permanente, au Canada

	1950-1960	**1981-1997**	**1990-1997**
Taux d'intérêt, court terme (%)	0,9	5,6	5,1
Taux d'intérêt, long terme (%)	1,6	6,5	6,8
Changement dans les programmes de dépenses des gouvernements	+16,3	+1,1	–2,5
Croissance annuelle du PIB (%)	4,7	2,4	1,8
Croissance annuelle de l'emploi (%)	2,8	1,1	0,5
Taux de chômage moyen (%)	5,4	9,8	10,0

(Adapté de : Jim Stanford, *Paper Boom*, Ottawa, CCPA/Lorimer, 1999.)

La conclusion peut se dire en termes qu'on n'emploie guère dans les lieux chics, mais qui exprime bien ce qu'il y a à dire : après les Trente glorieuses, nous traversons les Trente merdeuses. Et les trois décennies qu'on laisse derrière nous, celles du *trickle-down economics*, ont été des années de récession permanente.

Rappelons aussi que ces années de *trickle-down economics* furent aussi des années de stagnation des salaires et des revenus pour la majorité des gens. Voici, par exemple, l'évolution des revenus des particuliers au Québec entre 1986 et 1997, en dollars constants de 1997, tel que fourni par l'Institut de la statistique du Québec :

Tab. Évolution des revenus des particuliers au Québec

Année	Revenu total
1986	23 698
1988	24 026
1991	24 108
1992	24 001
1993	23 110
1994	24 205
1995	24 059
1996	24 505
1997	23 912

Rien ne permet de dire que l'impôt à taux uniforme a les effets qu'on prétend. Mais il va sans dire que le débat ne devrait même pas se tenir dans ces termes-là et que, par exemple, une part non négligeable de ce qu'on appelle productivité, croissance et augmentation du PIB consiste en des choses dont souffre une grande part de la population... Mais c'est une autre histoire. Pour le moment, passons donc à un nouvel argument.

L'impôt à taux uniforme est plus juste. Mais alors il faut évidemment se demander selon quelle conception de la justice... Migué a tenté d'argumenter sur ce point. Voici ce qu'il écrit et qui est représentatif d'une partie de ce qu'on peut lire à ce propos [1] :

> Notre appui au principe de l'impôt proportionnel (*flat tax*) s'inspire d'une philosophie fiscale fondée sur le principe de la généralité des lois, qui doit présider à une économie prospère et respectueuse de l'individu. Cette incidence heureuse de l'impôt proportionnel découle à son tour d'une analyse théorique et historique solidement documentée. De toutes les taxes qui pèsent aujourd'hui sur l'économie canadienne, l'impôt

1. L'impôt proportionnel a été fort bien théorisé par Robert E. Hall et Alvin Rabushka. Leur ouvrage, *The Flat Tax*, a été réédité en 1995 par la Hoover Institution Press. Hall et Rabushka traitent pour l'essentiel de la question de la justice fiscale à partir de la définition que donne le dictionnaire du mot justice... Cela leur suffit. Pas un mot des concepts de justice distributive, de justice rétributive, du voile de l'ignorance. La *Théorie de la justice* de John Rawls ? Rien. De grands penseurs, vraiment. Comme Ronald Reagan.

> proportionnel est celui qui impose le fardeau le moins lourd et le moins arbitraire. Si toutes les taxes comportent des entraves à la prospérité et à la justice, l'impôt proportionnel est celui qui inflige le moins d'entraves à la croissance et à la justice [1].

Fort bien, mais qu'est-ce que ça veut dire ? Je paie une bière à qui trouve de la substance dans cette poutine, à qui repère un argument dans « une analyse théorique et historique solidement documentée » (où ça ? par qui ? comment ?) ou à qui pourra me convaincre qu'il ne s'agit pas ici de théologie.

Restons-en sur le plancher des vaches et tiens, pourquoi pas, remettons-nous-en aux calculs de Claude Picher. Voici ce que ça donne (tableau page suivante).

La conception de la justice mise en œuvre ici saute aux yeux. La majorité des gens vont économiser quelques centaines de dollars, mais les bénéficiaires de hauts revenus vont s'en mettre plein les poches – 5 481 $ par an pour qui a un revenu imposable de 100 000 $.

1. *La Presse*, 26 juillet 2000, p. B2.

Tab. L'impôt fédéral selon les différentes tranches de revenu dans le régime actuel et selon la proposition de Stockwell Day

Revenu imposable en $	Régime actuel en $	Régime actuel en %	Avec l'impôt proportionnel en $	Avec l'impôt proportionnel en %
10 000	428	4,3	0	0,0
20 000	1 875	9,4	1 360	6,8
30 000	3 325	11,1	3 060	10,2
40 000	5 496	13,7	4 760	11,9
50 000	7 705	15,4	6 460	12,9
60 000	10 015	16,7	8 160	13,6
70 000	12 611	18,0	9 860	14,1
80 000	15 221	19,0	11 560	14,4
90 000	17 831	19,8	13 260	14,7
100 000	20 441	20,4	14 960	15,0

Qui plus est, la majorité des gens, ceux et celles qui gagnent 30 000 $ et moins par an, sont déjà, dans le régime actuel, imposés à 17 %. Le minuscule gain qu'on observe pour eux vient de l'accroissement de l'exemption personnelle de base, minuscule cadeau destiné à dorer la pilule. Mais notez encore ceci : le Canadien moyen aura, chaque année, 265 $ de plus dans ses poches. Grâce à quoi son gouvernement aura entre 30 et 45 milliards de moins pour payer les services publics qu'il consomme. À court terme, avec ce fantastique 265 $, le citoyen en question devra donc se payer un hôpital, des assurances santé et une université avec la petite monnaie – si toutefois il en reste.

L'impôt à taux uniforme permettra d'éviter l'évasion fiscale. C'est le plus vil de tous les arguments. En effet, puisqu'il ne s'agit de rien de moins que du chantage. Bien que ce soit hautement prévisible, il est intéressant de noter à quelle profondeur nos Maîtres peuvent descendre. Migué invoque cet argument en évoquant pudiquement ces gens qui « chercheront à se soustraire à des prélèvements fiscaux [1] ». Il est vrai que c'est un problème. Tenez : on estime généralement à 5 000 milliards de dollars la fortune qui repose en ce moment dans les paradis fiscaux. La majorité des Canadiens,

1. *La Presse*, 26 juillet 2000, *op. cit.*

avec des revenus annuels de moins de 30 000 $, ne fréquentent pas beaucoup ces endroits... Mais les infinies possibilités d'évasion fiscale ne cesseraient pas d'exister avec un impôt proportionnel. Celui-ci ne résoudra donc pas ce problème auquel, il est vrai, il faudrait s'attaquer. Rappelons, pour finir, que la TPS, qui est justement une taxe proportionnelle, fait l'objet d'une fraude abondante.

Les impôts, rappelez-vous, ce ne sont pas seulement des revenus dont on doit se soucier de la provenance ; ce sont aussi des dépenses. Or, le projet Day signifie non seulement une baisse d'impôts, essentiellement pour les riches, mais aussi une diminution des dépenses, qui profitent à tous. Il mettrait donc sérieusement à mal notre capacité collective de financer des programmes sociaux. Avec un impôt proportionnel, des économistes arrivent à la conclusion que le manque à gagner du gouvernement serait de 45 milliards de dollars par an. D'autres, comme Claude Picher, citent le chiffre de 102 milliards sur cinq ans. Pas de problème, explique Picher. Prévoyons même 35 milliards sur cinq ans pour le service de la dette. Soit un total de 137 milliards, exactement le surplus qui sera accumulé par le gouvernement fédéral en cinq ans, selon l'avis contesté de M. Loubier. Bref, citoyens, vous avez payé pour combler ce déficit avec lequel, par mensonge, tromperie, propagande, on vous avait fait peur. Eh bien, ce que vous avez mis de côté, on va maintenant vous le prendre.

Mais ce manque à gagner du gouvernement va impliquer une diminution des dépenses. Que cessera-t-on de financer à votre avis ? Va-t-on cesser de financer Bombardier ? Non. Va-t-on cesser d'enfourner à pleines louches des fonds publics dans l'insatiable gueule ouverte de cette mégamachine à socialiser les risques et les coûts et à privatiser les profits ? Nenni. On va couper dans les services publics, là où ça fait mal. Car, pour une bonne part, il s'agit ici de faire mal, de contrôler la population et de lui faire avaler un ordre social individualiste dont la solidarité sera absente. Les fonds de pension en Bourse s'inscrivent dans la même logique ; les offres d'actions en guise de salaire proposées aux employés également. Et tout cela ouvre toute grande la voie à la privatisation de la santé et de l'éducation.

Je m'en suis tenu ici à des analyses se situant pour la plupart à l'intérieur du cadre dans lequel on fait tout pour confiner ces questions. On peut s'y limiter et proposer de nombreux moyens d'atteindre les (rares) objectifs louables du programme de l'Alliance canadienne – augmenter certaines taxes, en rétablir d'autres, assurer une plus grande progressivité de l'impôt, etc. Mais, à mon sens, ce cadre est inadéquat et il faudra en sortir. Par exemple, pourquoi les divers groupes progressistes, au lieu de s'en tenir aux modestes propositions réformistes qu'ils ne manquent jamais d'avancer, ne passeraient-ils pas carrément à l'offensive ? On pourrait proposer notamment un impôt de 100 % sur les profits ; ou alors, au strict minimum, un impôt inversé (négatif) remis à ceux et celles qui gagnent, disons, 50 000 $ et moins.

Mais c'est une autre histoire...

LTMC : DES ESCROCS EN VESTON-CRAVATE

Nous pensons que la plupart des maux qui affligent l'humanité naissent d'une déplorable organisation sociale et que les gens pourraient les détruire s'ils en étaient conscients et le souhaitaient.

E. MALATESTA

NOUS SOMMES à Montréal, au Canadian Club. Tu es serveur dans cette boîte, où tu as été embauché sur un programme PAIE : c'est l'habituel petit coup de travail surexploité entre deux petits coups de BS. Trois ans que ça dure.

En ce moment, tu portes le champagne à deux zoufs qui causent gros sous. Tu souris : on t'a expliqué qu'il faut sourire.

Le premier, en rotant son champagne :

— Vous avez de l'argent à placer, cher ami ? Que diriez-vous d'un retour annuel de plus de 40 % ? Pas mal, non ? C'est justement ce qu'a.

fait LTCM (Long-Term Capital Management) de New York en 1995 (43 %) et en 1996 (41 %).

L'autre avale son caviar de travers. C'est que c'est alléchant, 40 % ! Mais il hésite encore :

— Certes, certes... mais avec un pareil rendement, je présume qu'il s'agit de placements hautement spéculatifs... *hedge funds*... fonds de spéculation... Tout cela est risqué, cher ami, vous le savez bien, fort risqué.

— Ce sont des fonds de spéculation, c'est vrai. Mais ils sont gérés par un génie de la finance : John Werimether, vous voyez qui je veux dire ? Et ce n'est pas tout, mon cher : il a avec lui Merton et Scholes. Mais si, souvenez-vous, ils ont obtenu le prix Nobel d'économie l'an dernier. Leur méthode est infaillible pour se prémunir des risques sur les marchés dérivés, pour jouer sur des monnaies et des promesses d'achat. Ils ont mis au point une formule mathématique très complexe, je ne pourrais pas vous l'expliquer, mais elle est absolument brillante. Et sûre. Les conditions exigées par LTCM ? C'est tout simple : il suffit de disposer de 10 millions de dollars américains que vous leur confiez sans possibilité de retrait pendant trois ans. Après quoi, vous dormez tranquille et vous recueillez le fruit de vos efforts.

En disant « efforts » ils éclatent de rire.

Tu ramasses les coupes vides pendant qu'ils te demandent une autre bouteille de champagne. En t'éloignant, tu écoutes la suite de la conversation :

— Et puis vous avez entendu ce qu'a dit Alan Greenspan ce matin même. Il était reçu par le Comité spécial sur le budget et il l'a encore répété : le système économique mondial est très efficient et le marché des produits dérivés est sous le contrôle attentif des banques. Non, non, je vous assure : faites comme moi, vous ne risquez rien.

Tu souris dans ta barbe. Le seul avantage du chômage, c'est qu'on a le temps de lire. Alors, tu as lu, beaucoup, autant que tu as chômé, c'est tout dire. Et tu as compris certaines choses, cruciales.

En 1945, à Bretton Woods, tout près de la frontière québécoise, a été mis sur pied un nouvel ordre économique mondial. La Banque mondiale et le FMI en sont issus. On cherchait alors à accroître le libre-échange et, en même temps, à limiter les flux de capitaux. Compliqué de faire les deux en même temps... Mais on se disait qu'il n'était pas question de donner au Capital l'énorme pouvoir que lui conférerait le fait de pouvoir s'envoler quand il le veut, comme il le veut. Car cela reviendrait à donner une sorte de « sénat virtuel » aux détenteurs de capitaux, à leur donner la massue avec laquelle taper sur la tête du reste du monde et, à terme, massacrer tous les programmes sociaux qui leur déplaisent.

Le système a tenu le coup jusqu'en 1971. C'est alors que le président Nixon le démantèle. Les autres pays vont suivre. L'économie réelle, qui représentait 95 % de l'activité économique en 1970, ne représente plus aujourd'hui que 5 % : le reste est de l'économie spéculative, de casino, des capitaux qui circulent librement et qui font la pluie et le beau temps ou plutôt la pluie et le gros temps. Le voilà, le sénat virtuel tant redouté. Il amène le chômage, la faible croissance, la misère, l'instabilité. Combien de morts fera-t-il cet hiver, en Russie ?

C'est là-dedans qu'investissent les escrocs de LTCM, c'est à ce jeu-là qu'ils jouent.

Dès 1972, un économiste, James Tobin, avait proposé d'instaurer une toute petite taxe sur ces flux de capitaux, histoire de les restreindre et, pourquoi pas, de générer des fonds pour permettre la mise sur pied de politiques sociales. On a bien ri de sa naïveté, à l'époque, comme on a ri de tous ceux qui ont appuyé sa proposition : retirer leur sénat virtuel aux Maîtres ? Vous n'y pensez pas...

Ce Greenspan dont ils parlaient ? Attends un peu... Tu le connais, en fait. Tu le replaces ? C'est ce même tordu qui expliquait les succès phénoménaux de la Bourse de ces dernières années par ce qu'il appelait l'insécurité des travailleurs. C'est facile à comprendre. En français, ça veut dire que l'inouï enrichissement de quelques-uns par la Bourse s'explique par le chômage et le BS et par la peur plantée dans le ventre du plus grand nombre. Pour toi, à l'heure qu'il est, ça veut surtout dire que tu te demandes encore ce mois-ci comment tu vas faire pour pouvoir payer ton loyer et aussi si tu auras de quoi acheter des bottes d'hiver à ton petit dernier, qui en aurait bien besoin.

Mais le soir même, en rentrant chez toi, tu ouvres la télé pour apprendre que LTCM est en faillite. Le soir même du 23 septembre : c'est presque trop beau. Appuyés par les banques, les escrocs de LTCM, qui avaient 10 milliards de dollars, en ont placé combien ? 80, 100 milliards ? Peu importe. Ils ont placé dans des monnaies, dans l'Indonésie criminelle de Suharto, dans la Russie mafieuse, dans de la spéculation véreuse.

Tu aurais presque envie d'éclater de rire. Mais tu ne le feras pas, parce que tu sais aussi que les banques vont tout faire pour éviter que LTCM ne plante. Elles vont allonger quatre milliards, à ce qu'on dit. Elles n'ont plus le choix.

C'est du BS pour riches. Celui dont on ne parle jamais. Celui que Gilles Proulx ne dénoncera jamais à la radio.

Tu t'emballes. Ça t'arrive. Mais tu rêves aussi : ça t'arrive encore, heureusement. Un jour viendra où le monde qu'on nous a imposé sera reconnu pour ce qu'il est : une réalité immonde, immorale et insupportable. Le lendemain, ou un peu plus tard, il n'y aura plus de *hedge funds*, plus de LTCM, plus de ces prix Nobel d'escroquerie décernés chaque année à des hommes, toujours, des Blancs, toujours, qui n'ont rigoureusement rien d'autre à dire que flexibilité, marché, laisser-faire, laisser-aller. Il n'y aura alors pas plus de ces génies de la finance et autres escrocs en veston-cravate que de Suharto, les mains ensanglantées mais avec qui il fait si bon brasser des affaires.

Ce jour-là, il n'y aura pas plus de chômage que de programmes PAIE : tout cela sera devenu inutile et ne sera plus qu'un mauvais souvenir. Comme le Canadian Club.

La semaine suivante, tu apprends que la France s'est retirée des négociations sur l'AMI, cette effrayante tentative de coup d'État des multinationales qui aurait donné encore plus de pouvoir à tous les zoufs de tous les Canadian Club du monde. Et tu te rappelles que ce sont de simples citoyens comme toi qui l'ont fait déraper, cet AMI qui nous voulait du mal.

Tu retrouves le sourire. En somme, le monde devient ce qu'on en fait. C'est tout simple.

Tu apprends quelques jours plus tard, et en surveillant les réactions des Maîtres aux chutes des Bourses, que le prix Nobel d'économie 1998 a été décerné à Amartyra Sen. Sen ! C'est un Indien, un humaniste, un économiste travaillant dur, et surtout, contre la pauvreté.

Tu te dis pour finir que l'affaire LTCM est le meilleur argument que l'on puisse invoquer pour réclamer l'instauration de la taxe Tobin sur les flux de capitaux ; que cette taxe, il ne dépend que de nous de la faire exister.

Tout à l'heure, tu vas revoir les deux zoufs au Canadian Club.

C'est drôle : tu ne te sens pas d'humeur à leur faire un beau sourire.

Permettez ?

J'ai la chance, dans le cadre de mes activités de militant, de rencontrer beaucoup de gens qui partagent avec moi ce que j'appellerai, sans plus de qualification, une sensibilité de gauche ; des gens qui, le plus souvent, travaillent fort, notamment sur le terrain, pour faire avancer des causes et des valeurs qui définissent cette sensibilité. Nos échanges sont riches et fructueux, et je le reconnais sans ambages : j'y apprends beaucoup. Mais il y a un sujet qui, lorsqu'il est abordé, fait bien vite apparaître des divergences de vues assez substantielles entre mes interlocuteurs et moi. Ce sujet concerne la consommation et, plus particulièrement, les positions que la gauche défend à ce propos.

Trop souvent, la position que je soutiens est perçue comme terriblement fausse, dommageable, voire même élitiste ou méprisante, quand elle n'est pas carrément décrite comme contraire aux valeurs et aspirations que je prétends défendre et promouvoir. Je dois dire que mes antagonistes ont la générosité de penser qu'il ne s'agit que d'un défaut de compréhension de ma part, et je pense la même chose en ce qui les concerne. Il ne me viendrait jamais à l'esprit de remettre en question la sincérité et l'implication de ceux et celles qui ne pensent pas comme moi sur cette question très précise. Mais il n'en demeure pas moins que la divergence de vue, que nous avons ici, est vraiment profonde. Je ne veux pas en exagérer la portée, mais il me semble important de la noter d'emblée.

Il va de soi que je ne me pose absolument pas en détenteur de la vérité : ce qui suit n'est qu'une invitation à la réflexion sur un sujet qui me paraît l'appeler impérativement.

Il est très instructif de confronter les idées des économistes professionnels sur la consommation à celles des gens ayant une sensibilité de gauche. Ce n'est pas ici le lieu pour discuter leur position en détail, mais rappelons qu'ils envisagent surtout la consommation au niveau macroéconomique, c'est-à-dire comme fonction que doit remplir une économie, et qu'ils posent que le consommateur cherche à satisfaire des besoins, des désirs, dans une relation homogène avec un producteur. De telles analyses rappellent, en posant le caractère rationnel de ce consommateur, l'immense pouvoir qui lui est conféré, dans la mesure où la décision de consommer lui revient et que le producteur doit s'efforcer, dans un marché concurrentiel, de le satisfaire. Le producteur n'est dès lors que le serviteur du consommateur.

Ce tableau est récusé par la gauche pour toutes sortes de raisons pertinentes. Je ne souhaite pas non plus entrer dans le détail de cette argumentation. Mais on ne s'étonnera pas – en tout cas je ne m'en étonne absolument pas – que ce soient des littéraires qui aient été les plus sensibles à certains des aspects les plus déplorables de la consommation dans l'économie de marché et qui les aient le mieux exprimés. C'est donc à eux que je m'en remettrai pour exposer le point de vue auquel aboutit la gauche. Écoutez, par exemple, Gilbert Langevin, ce magnifique poète québécois : « L'artificiel nous brûle les yeux. Panneaux-réclame à perte de ville. Annonce généralisée de la réification totale. Toute chose, objet, principe utilitaire. Muralisation de l'éphémère. »

Mais si je ne devais retenir qu'un seul texte exprimant ce qui doit être dit ici et que les économistes ignorent d'ordinaire, je citerais cet extrait d'un roman de science-fiction devenu mythique aux yeux de bien des anarchistes : *The Dispossessed* de Ursulak Le Guin. Paru en 1974, ce roman raconte la visite d'un citoyen,

Shevek, venu d'une société anarchiste dans une société qui ressemble à s'y méprendre à la nôtre... Voici donc Shevek devant une importante artère commerçante de ce pays qu'il visite. L'auteur nous fait part de ses réactions devant le spectacle qui s'offre alors à lui [1] :

> Saemtenevia Prospect avait deux miles de long ; c'était une masse compacte de choses à vendre et à acheter. Pardessus, robes, toges, pantalons, hauts-de-chausses, chemises, parapluies, vêtements à porter pour dormir, pour nager, pour jouer, pour les fêtes se déroulant l'après-midi, pour le théâtre se déroulant le soir, pour faire du cheval, pour jardiner, pour recevoir ses invités, pour faire du bateau, pour souper, pour chasser, des vêtements tous différents, par les styles, les couleurs, les textures et les tissus. Des parfums, des horloges, des lampes, des statues, des cosmétiques, des bougies, des images, des appareils photographiques, des coussins, des bijoux, des tapis, des cure-dents, des calendriers, un hochet dentaire en platine et au manche de cristal, un outil électrique pour aiguiser les crayons, une montre avec chiffres de diamants, des figurines, des souvenirs, de la vaisselle décorative, des aide-mémoire, des bibelots et babioles, des choses ou bien d'emblée inutiles ou alors conçues

1. Merci à Michael Albert qui a attiré mon attention sur ce texte.

> de telle manière que leur usage soit imperceptible, des tonnes de luxe et des tonnes de merde. Après la première rangée, Shevek s'était senti complètement épuisé. Il ne pouvait plus regarder tout cela. Il voulait se voiler les yeux. Mais pour lui, la chose la plus étrange à propos de cette rue cauchemardesque était qu'aucun de ces millions d'objets n'y avait été fabriqué : ils y étaient seulement vendus. Mais où donc étaient les ouvriers, les mineurs, les tisseurs, les chimistes, les graveurs, les teinturiers, les designers, les machinistes et toutes les mains de ceux qui fabriquaient tout cela ? Ils étaient ailleurs, hors de vue, derrière des murs. Ici, dans chacune des boutiques, chacun ne pouvait être que vendeur ou acheteur, n'ayant aucune autre relation à l'ensemble de ces objets que celle de possession. Comment alors pouvait-on savoir ce que pouvait bien signifier et impliquer la production d'un objet ? Comment pouvait-on décider si oui ou non on voulait acquérir cet objet ? Toute cette expérience était ahurissante. Comment pouvait-on en arriver à être capable de poser, quotidiennement, des gestes d'une telle irresponsabilité sociale ?

L'essentiel est dit, il me semble. Ce texte rappelle avec finesse et acuité trois des principaux éléments au cœur de l'analyse critique proposée par la gauche.

Le premier élément est ce phénomène décrit par Marx comme le « fétichisme de la marchandise ». Dans une économie de marché, les produits sont pour ainsi dire dotés d'une existence fantasmagorique : le processus de réification qui s'installe dissimule la terrible réalité des rapports sociaux impliqués par la production sous l'apparence d'un simple rapport des choses entre elles. Je ne suis pas marxiste pour deux sous, mais je reconnais qu'il s'agit là d'une jolie trouvaille et les sociologues ne s'y sont pas trompés, car ils y ont abondamment puisé.

Le deuxième élément se rattache au premier : ce rapport apparent, qui laisse dans l'ombre un rapport réel le plus souvent horrible, conduit encore à occulter que, dans l'échange, ce ne sont pas seulement les deux parties qui échangent qui sont concernées, mais bien d'autres personnes et parfois même presque tout le monde. Ce phénomène est bien connu des économistes qui l'analysent dans la production. Ils le nomment « externalisation ». Prenez une compagnie qui produit des biens. En cours de route, elle produit aussi de la pollution et elle transfère à la collectivité le coût de cette pollution – ce qui ouvre, pour elle-même ou pour un autre producteur, un nouveau marché, cette fois de la dépollution, conformément à la désopilante loi de Say ! L'externalisation fait en sorte que le marché ne reflète pas le prix exact des produits qu'il propose. Or, on en conviendra après réflexion, de tels phénomènes d'externalisation concernent aussi la consommation, chaque fois que celle-ci a des effets qui dépassent l'acheteur et le vendeur.

Le troisième élément mis en évidence par le texte de Leguin est celui de la surconsommation, de l'abondance inouïe – et au fond terrifiante – de biens, qui nous entraînent, tels des robots victimes du processus de réification, dans une sorte de course folle à la conquête de biens-fétiches. On en vient à reconnaître, d'une part, le danger d'une telle surconsommation, notamment pour les ressources et pour l'environnement, mais aussi son caractère décidément artificiel, qui conduit à dénoncer les mécanismes aliénants permettant d'induire de tels besoins artificiels. Au premier rang de l'artificiel, la publicité figure en bonne place. Elle est, pour cette raison, une cible de choix des flèches décochées par la gauche.

Un aveu : mon dessinateur politique préféré s'appelle Charb. Pendant au moins un an, chaque semaine, il a proposé dans *Charlie Hebdo* un dessin rageur et désopilant montrant un « flic de la consommation ». Celui-ci faisait subir les pires sévices au citoyen qui, cette semaine-là, n'obéissait pas aux ordres du « ministère de l'Inutile et du superflu » : l'ordre de consommer du foie gras à Noël, du chocolat à Pâques, etc. Le propos vous est certainement familier.

L'analyse que je viens de rappeler a de grands et profonds mérites. Je reconnais d'ailleurs sa pertinence et son acuité. Mais je pense aussi qu'elle aboutit parfois à des conclusions – voire, en certains cas, à des pratiques – déplorables et souvent nuisibles.

Les « théories » et les pratiques que je déplore sont celles où l'on analyse en termes individuels le phénomène de la consommation pour condamner les pratiques des autres, que l'on décrit comme aliénées et fautives, pour ensuite enjoindre ces derniers à adopter des pratiques considérées comme saines, une telle adoption étant considérée comme un geste hautement politique. Cela constitue, le plus souvent, une grossière et déplorable erreur, aussi bien théorique que stratégique.

C'est donc ici que se manifeste mon désaccord avec ceux dont tout me rapproche d'ordinaire. Et ce désaccord exige une explication.

Les idées et les valeurs pour lesquelles je me bats, comme tant d'autres, ont fait de réels et substantiels progrès depuis un demi-siècle. En disant cela, je ne veux pas méconnaître le caractère horrible, voire carrément désespérant, de trop d'aspects du monde dans lequel nous vivons. Mais je suis convaincu que des progrès ont été réalisés et qu'il est bon de se les rappeler parfois. Or, si on examine ces progrès, on constate souvent qu'ils ont leur origine dans la prise de conscience, par des membres de divers groupes, que certaines des difficultés qu'ils rencontrent sont structurelles, qu'elles tiennent aux conditions institutionnelles dans lesquelles ils se trouvent. Ainsi, le mouvement féministe permet de comprendre que ce n'est pas en raison de carences personnelles que certains aspects de la vie féminine sont déplorables, mais à cause de circonstances tenant aux institutions sexistes et machistes dans lesquelles la femme se trouve plongée, avec toutes les autres qui vivent précisément les mêmes problèmes qu'elle. Michael Albert rappelle avec raison que c'est cette précieuse part de vérité qu'exprime le slogan : « Ce qui est personnel est politique. »

Les gains auxquels je fais référence ont très souvent été le fruit d'un militantisme qui prenait acte de cette surdétermination institutionnelle et qui entreprenait de changer les mentalités puis les institutions. Les progrès réalisés ont été nombreux, sauf, précisément, sur le plan économique, où on n'a guère réussi à changer les institutions et où il est raisonnable de constater que, pour une majorité de gens, les conditions personnelles se sont détériorées – plus faibles revenus, moins de protection syndicale et sociale, moins bonnes conditions de travail, durée allongée des heures de travail, etc.

Or voilà que, nous engageant sur le terrain de l'économie, où la gauche n'a guère de gains importants à mettre à son actif, nous l'abordons en inversant ce que nous disions tout à l'heure dans les autres sphères et les autres institutions. Ici, par certaines des analyses que nous faisons et certaines des pratiques que nous prônons, nous agissons comme si le politique était de l'ordre du personnel, comme si les institutions étaient la résultante de choix individuels et qu'il était somme toute facile de les transformer par la seule force de choix personnels adéquats. Mais c'est complètement faux ! Et c'est aussi parfois carrément méprisant pour les gens auxquels on s'adresse ! Et cela court même le très sérieux risque d'être contre-productif, voire carrément nuisible !

Notez ici à quel point de telles approches sont désormais répandues à gauche. Le consumérisme éthique et ses nombreuses variantes en sont une manifestation très claire sur le plan économique ; mais on retrouve la même perspective dans les diverses formes de salut annoncé, en écologie, par le refus de consommer (ce qu'autrefois on appelait le primativisme), dans certaines manifestations récentes du féminisme (la troisième vague), dans certains aspects du végétarisme « éthique », dans la condamnation du sport, de la télévision, bref, dans tout ce que nos voisins du Sud nomment le *lifestyle politics*. Non seulement cette approche fait-elle peser sur l'individu la responsabilité d'états de fait, mais elle le présente comme bête, déraisonnable, ignorant ou trompé. Cette appréciation provient de quelqu'un qui prétend connaître la solution (individuelle) à cet état de fait, qui la pratique lui-même, et qui enjoint l'autre à adopter les pratiques qu'il prône.

« Quoi, pauvre ignorant, tu ne sais pas ce que Nike fait en Indonésie ? Tu achètes de tels souliers de course ? Pauvre de toi. Tu ne savais pas, hein ? Et note à quel point la publicité t'a bien eu et manipulé. Comme nous, n'achète plus de souliers Nike. Monte dans l'autobus du boycott. Te voilà révolutionnaire, camarade. »

Même argumentation, *mutatis mutandis*, pour la voiture, le café, le sport professionnel, la télévision et n'importe quoi d'autre. Cette dialectique tient-elle la route ? On connaît déjà ma réponse. Pour des raisons qui me semblent, elles, très bien tenir la route.

Pour commencer, et on en conviendra avec un minimum de réflexion, il est bien difficile de distinguer dans nos pratiques celles qui causent le plus de mal. Ensuite, il est méprisant de tenir l'individu pour manipulé. D'ailleurs, le plus souvent, il ne l'est pas. En achetant du Nike, l'adolescent espère de cet achat précisément ce qu'il en retire : comme les autres autour de lui, il porte des godasses qui assurent de ne pas passer pour un plouc.

Il est mensonger, non, certes, dans tous les cas mais le plus souvent, de prétendre que la seule adoption d'autres pratiques individuelles constitue un geste politique significatif.

Il est encore erroné, de la part de celui qui prône de telles pratiques, de faire comme si son comportement le plaçait au-dessus de la mêlée : celui qui boycotte Nike a peut-être à son insu (et il ne faut pas lui en vouloir, même s'il le sait !) un régime de retraite qui investit en Indonésie.

Enfin, il est très peu judicieux, sur le plan stratégique, d'inviter à placer l'espoir de transformations réelles dans de telles approches.

Comment ne pas percevoir dans cette approche un profond mépris pour l'intelligence des gens et pour leur capacité à faire des choix rationnels ? C'est pourtant bien dans des circonstances institutionnelles épouvantables que ces choix sont faits. Même s'il est vrai que les mécanismes du marché, sa grande puissance et ses terribles travers jouent lourdement et circonscrivent – voire surdéterminent – ses choix, il n'en demeure pas moins vrai que le consommateur fait souvent un choix tout à fait raisonnable et moral dans ces circonstances.

Nos meilleurs ennemis, si j'ose dire, sont certainement ces partisans d'une extension du mécanisme de marché à l'ensemble des sphères des activités sociales et humaines, les libertariens. Leurs valeurs et leurs aspirations sont on ne peut plus éloignées des nôtres. Mais j'entends d'ici leurs rires à l'idée que la gauche finisse, comme eux, par faire reposer toute analyse des réalités humaines, sociales et politiques sur des choix strictement individuels pensés hors de toute institutionnalisation. J'entends d'ici leurs applaudissements nourris devant cette nouvelle tactique de la gauche qui consiste à créer de nouveaux marchés pour remédier à certaines carences du marché. Comme si notre acceptation de l'économie de marché était désormais telle que nous ne trouvions rien d'autre à préconiser que de pallier certains de ses défauts les plus criants en contribuant nous-mêmes à son extension complète. Ce consumérisme éthique auquel certains nous convient risque fort d'être l'exacte contrepartie des entreprises socialement responsables dont on nous serine les vertus aujourd'hui. L'entreprise, par définition, ne saurait être socialement responsable. Acheter, vendre, par définition, tendent à être des comportements antisociaux, tout particulièrement dans une économie de marché. Et sauf exceptions et circonstances très exceptionnelles, un comportement de consommateur éthique n'est donc aucunement, *a priori*, un objectif raisonnable que devraient poursuivre ceux et celles qui aspirent à de considérables transformations sociales. Pour le dire autrement : le pays étant occupé, l'acte de résistance par excellence serait de repérer les plus « gentils » soldats ennemis et n'avoir de relations qu'avec ceux-là.

À vrai dire, il est extraordinairement frappant de noter à quel point ces analyses et ces pratiques où se réfugie de nos jours une certaine gauche, sont proches de celles auxquelles parviennent ceux qui ont à cœur le maintien en l'état du monde actuel. De part et d'autre, on privilégie la figure de Narcisse, replié dans ses choix hédonistes individuels, alors que c'est celle de millions de Sisyphe œuvrant ensemble à briser un rocher qu'il faudrait exalter. La seule différence est que nous blâmons Narcisse, méprisons ses choix, alors qu'ils le louent en l'assurant que c'est lui qui mène le bal. Et on s'étonne ensuite du peu de réception de nos analyses !

Est-ce à dire que je rejette d'emblée tout effort en ce sens ? Absolument pas. Je ne nie pas plus la pertinence, dans certains cas et certaines circonstances, d'en passer par plusieurs de ces pratiques que prônent mes amis (boycott, changement de nos pratiques de consommation, etc.) que je n'ai nié la légitimité et la justesse des analyses de la consommation rappelées au début de ce texte. Je ne nie nullement que de tels efforts peuvent parfois être productifs. Mais je soutiens que leur résultat net pourrait bien être celui que mes analyses laissaient entrevoir : élitisme, inefficacité, absence d'impact réel sur le monde. Pour reprendre une image de Michael Albert : nous vivons dans des circonstances qui nous arrachent les ailes, des institutions horribles qui font de nous des papillons sans ailes. Bien des gauchistes reprochent au papillon de marcher au lieu de voler et le somment de chercher le salut dans un meilleur usage de ses pattes... Ne l'oublions pas : dans une société saine, il y aura des institutions économiques dont une des fonctions sera la consommation. Chercher à déterminer quelles valeurs pourraient y être incorporées est un beau sujet de réflexion, mais qui dépasse de très loin le cadre de ce texte. Ne nous trompons pas de cible non plus : l'adversaire se nomme toujours, et plus que jamais, économie de marché, esclavage salarial, tyrannies privées...

Une bonne part de ce qui précède dans ce livre nous renvoie notamment à des questions de stratégie, c'est-à-dire de détermination des cas et des circonstances où l'approche que je récuse en général pourrait être, pour une fois, légitime. Car il arrive que de telles conditions soient réunies, j'en suis convaincu. Mais l'analyse dont je viens à l'instant de tracer les grandes lignes changerait sans doute assez profondément, j'en suis persuadé, nos façons de faire en de tels cas. Cependant, je ne saurais dire seul ce que sont ces cas et ces circonstances ni en quoi consisteraient alors des pratiques acceptables de la consommation. Laissez-moi tout de même vous faire une proposition libertaire...

Une proposition libertaire : l'économie participative

Alice : [...] Pouvez-vous me dire
où nous devrions aller à présent ?
Le chat : Cela dépend en bonne partie
d'où vous voulez aller.
Lewis Carroll

La seule alternative au fait d'être ou l'oppresseur
ou l'opprimé est la coopération volontaire
pour le bénéfice de tous.
Wilhelm von Humboldt

Robin Hahnel, professeur d'économie à l'Université de Washington et Michael Albert, activiste américain bien connu, ont élaboré, au début des années 1990, un modèle économique qu'ils ont appelé *Participatory Economics* ou *Parecon* – ce que je propose ici de rendre par Écopar.

Ce très ambitieux travail est quelque peu connu aux États-Unis, du moins dans le milieu des économistes « progressistes » et dans celui des activistes de tendance libertaire. Dans l'univers francophone, on en a encore très peu parlé.

L'Écopar vise à concevoir et à rendre possible la mise en place d'institutions économiques permettant la réalisation de fonctions précises dans le respect de certaines valeurs, dont les auteurs soutiennent qu'elles sont justement celles que la gauche – plus précisément la gauche libertaire – a jugées et juge toujours fondamentales.

L'ambition de ce modèle est la suivante :

> Nous cherchons à définir une économie qui distribue de manière équitable les obligations et les bénéfices du travail social ; qui assure l'implication des membres dans les prises de décision à proportion des effets que ces décisions ont sur eux ; qui développe le potentiel humain pour la créativité, la coopération et l'empathie ; et qui utilise de manière efficiente les ressources humaines et naturelles dans ce monde que nous habitons – un monde écologique où se croisent de complexes réseaux d'effets privés et publics. En un mot : nous souhaitons une économie équitable et efficiente qui favorise l'autogestion, la solidarité et la variété [1].

1. M. Albert et R. Hahnel, *The Political Economy of Participatory Economics*, Princeton, PU Press, 1991, p. 7.

Au total, l'Écopar propose un modèle économique dont sont bannis aussi bien le marché que la planification centrale (en tant qu'institutions régulant l'allocation, la production et la consommation), mais également la hiérarchie du travail et le profit. Dans une telle économie, des Conseils de consommateurs et de producteurs coordonnent leurs activités au sein d'institutions qui favorisent l'incarnation et le respect des valeurs préconisées. Pour y parvenir, l'Écopar repose encore sur la propriété publique des moyens de production ainsi que sur une procédure de planification décentralisée, démocratique et participative par laquelle producteurs et consommateurs font des propositions d'activités et les corrigent jusqu'à la détermination d'un plan dont on démontre qu'il sera à la fois équitable et efficient.

La démonstration faite par les auteurs a été à ce point convaincante que les débats et les discussions qui ont entouré l'Écopar ont pour l'essentiel porté sur sa désirabilité plutôt que sur sa faisabilité. Je reviendrai plus loin sur quelques-uns de ces débats. Toutefois, très peu d'analyses ont été consacrées aux sources théoriques de ce modèle économique, et ses créateurs eux-mêmes n'ont pas abordé d'une manière substantielle cette question des antécédents théoriques de l'Écopar. On ne peut que souhaiter que cette lacune soit comblée, notamment parce qu'il m'apparaît fort probable qu'une meilleure contextualisation historique et théorique contribuera de façon significative à une appréciation plus fine des enjeux et des éventuels mérites de l'Écopar.

Je pense pour ma part qu'un tel travail découvrira que l'anarchisme constitue la principale source théorique de l'économie participative.

En exergue de leur travail sans doute le plus ambitieux sur le plan théorique [1], les auteurs ont placé cette remarque de Noam Chomsky :

> Je veux croire que les êtres humains ont un instinct de liberté, qu'ils souhaitent véritablement avoir le contrôle de leurs affaires ; qu'ils ne veulent être ni bousculés ni opprimés, recevoir des ordres et ainsi de suite ; et qu'ils n'aspirent à rien tant que de s'engager dans des activités qui ont du sens, comme dans du travail constructif qu'ils sont en mesure de contrôler ou à tout le moins de contrôler avec d'autres. Je ne connais aucune manière de prouver tout cela. Il s'agit essentiellement d'un espoir placé dans ce que nous sommes, un espoir au nom duquel on peut penser que si les structures sociales se transforment suffisamment, ces aspects de la nature humaine auront la possibilité de se manifester.

1. Michael Albert et Robin Hahnel, « Participatory Planning », *Science and Society*, vol. 56, n° 1, printemps 1992.

À n'en pas douter, un tel espoir est celui qu'ont entretenu les anarchistes et il traverse de part en part l'économie participative. L'inspiration libertaire de l'Écopar est à la fois diffuse – entendez par là qu'elle imprègne tout le modèle – et explicite – certaines de ses caractéristiques fondamentales étant directement reprises de la tradition anarchiste. Sur ces deux plans, un bilan précis reste à dresser. Mais qui prend contact avec l'Écopar ne peut manquer de relever sa parenté intellectuelle profonde avec ce que Michael Albert appelle « les valeurs et l'esprit de Kropotkine [1] ».

Le souci de réaliser l'équité de circonstances et de ne faire dépendre les éventuelles inégalités que de variables sur lesquelles on maîtrise des individus placés dans de telles circonstances, la défense d'une conception de la liberté comme conquête sociale et historique ; opposée aussi bien au marché qu'à la planification centrale ; on découvre encore dans l'Écopar l'influence du Kropotkine de *L'entraide : un facteur de l'évolution* [2], qui s'opposait au réductionnisme biologique des néodarwiniens sociaux en faisant jouer un autre déterminisme biologique, celui de l'entraide et de la coopération.

1. Correspondance de l'auteur avec Michael Albert.
2. Pierre Kropotkine, *L'entraide : un facteur de l'évolution*, Montréal, Écosociété, 2005. [NdE]

> Toute hiérarchie demande à être légitimée. Or, un lieu de travail, dans nos sociétés, n'est ni plus ni moins qu'une dictature totalitaire. Le travail est administré d'en haut, par quelques personnes ; les autres, en bas, n'ont rien à dire. Il n'y a aucune démocratie là-dedans. Rien d'autre qu'une stricte hiérarchie de pouvoir, qui est aussi une hiérarchie de circonstances sociales, des revenus, du prestige et ainsi de suite. Je pense qu'on ne peut en fournir aucune justification, que cela n'existe que pour préserver les avantages de ceux qui sont en haut. Mais il est aussi frappant de remarquer combien la gauche n'adhère à cette idée qu'en paroles – car le fait est que les organisations de gauche sont souvent elles-mêmes hiérarchiques et autoritaires [1].

Albert et Hahnel écrivent :

> Jusqu'à maintenant, la plupart des économistes professionnels ont convenu que la nature humaine ainsi que la technologie contemporaine interdisent *a priori* des alternatives égalitaires et participatives. Ils ont généralement soutenu qu'une production efficiente devait être hiérarchique, que seule une consommation inégalitaire pouvait fonder une motivation efficiente et que l'allo-

1. Extrait d'une entrevue avec Michael Albert. Normand Baillargeon, « Michael Albert : l'autre économie », *Le Devoir*, 16 juin 1997, p. B1.

> cation ne pouvait être réalisée que par le marché ou la planification centrale et jamais par des procédures participatives[1].

L'Écopar est un effort soutenu pour démontrer que de telles assertions sont aussi bien factuellement contestables que moralement irrecevables.

Autre influence libertaire revendiquée, celle de Bakounine, dont les auteurs s'inspirent dans leur critique des économies de planification centrale. On se rappellera ici l'important débat qui opposa Marx à l'anarchiste russe au sein de la Ire Internationale, au terme duquel Bakounine prédisait la terrifiante montée d'une « bureaucratie rouge » dans les régimes communistes autoritaires. Albert et Hahnel prolongent cette analyse dans leur examen des économies de planification centrale, dénoncées comme étant au service de ceux qu'ils nomment les « coordonnateurs » – intellectuels, experts, technocrates, planificateurs et autres travailleurs intellectuels qui monopolisent l'information et l'autorité dans la prise de décision. Classe intermédiaire dans le capitalisme, ces coordonnateurs ont constitué la classe dominante dans les économies du Bloc de l'Est.

1. M. Albert et R. Hahnel, *The Political Economy of Participatory Economics*, *op. cit.*, p. 4.

Si l'héritage libertaire de l'Écopar est indéniable et lucidement assumé, à d'autres égards, le travail de Hahnel et Albert est substantiellement en rupture avec cette tradition libertaire. Ce qu'ils lui reprochent, pour l'essentiel, c'est de ne pas avoir fourni de réponses précises, crédibles et pratiquement viables aux nombreux et bien réels problèmes posés par le fonctionnement d'une économie – sur le plan de l'allocation des ressources, de la production, de la consommation. Les propositions anarchistes en économie sont ainsi, à leurs yeux, très largement restées à l'état de propositions critiques et négatives : on sait très bien ce que les anarchistes refusent en matière d'institutions économiques (les inégalités de statut, de revenu et de circonstance, la propriété privée des moyens de production, l'esclavage salarial, etc.), mais beaucoup moins les moyens qu'ils préconisent pour parvenir à des institutions échappant à ces critiques et incorporant les valeurs privilégiées. Ce n'est pas ici le lieu pour examiner en détail cette évaluation des apports de la tradition libertaire en économie et pour décider de sa validité. Rappelons simplement que c'est du côté des Conseils – tels qu'on peut les trouver dans l'idée exposée et défendue par exemple dans la tradition des soviets, du Guild Socialism mais aussi chez Rosa Luxemburg et plus encore chez Anton Pannekoek – que l'Écopar trouvera son inspiration pour la conceptualisation de ses institutions économiques.

Une dernière remarque sur les sources de l'Écopar : après avoir pris connaissance des valeurs prônées par l'Écopar, c'est peut-être au socialisme utopiste du siècle dernier, à celui de Fourier par exemple, que le lecteur francophone songera d'abord. Hahnel et Albert ont, quant à eux, revendiqué une filiation avec les idées d'Edward Bellamy (1850-1898), lequel est si peu connu du lectorat francophone que je souhaite en toucher un mot. Bellamy a fait paraître, en 1888, un roman intitulé *Looking Backward, 2000-1887*[1], dont le titre a d'ailleurs inspiré celui de l'ouvrage qui présente l'Écopar au grand public[2].

Dans ce roman, qui connut en son temps un immense succès, Bellamy imagine les États-Unis en l'an 2000. Le pays vit alors sous un régime socialiste dans lequel l'industrie est mise au service des besoins humains et où l'activité économique se réalise au sein d'institutions favorisant l'équité, la fraternité, l'entraide et la coopération. Virulente critique du capitalisme et de ses effets dévastateurs, de l'économie de

1. Edward Bellamy, *C'était demain*, Montréal, Lux, 2007. [NdE]

2. Michael Albert et Robin Hahnel, *Looking Forward : Participatory Economics for the Twenty First Century*, Boston, South End Press, 1991.

marché et de ses chantres, le livre paraît alors que sont encore vives les plaies de la crise du Haymarket de Chicago et il participe de ce qui sera un des derniers moments forts des luttes ouvrières libertaires en Amérique du Nord.

Ces idées de Hahnel et Albert ont d'abord été développées dans deux volumes parus en 1991. Depuis cette date, les auteurs ont abondamment présenté leur modèle à divers auditoires et par divers moyens – articles, entretiens, conférences, cours, groupes de travail et de discussion, notamment sur Internet. Ils l'ont également défendu contre les diverses objections dont il a fait l'objet. Enfin, ils ont mis sur pied, ou contribué à mettre sur pied, diverses tentatives d'implantation des principes et procédures de l'Écopar dans quelques lieux de travail qui ont souhaité fonctionner selon les principes et les valeurs que ce modèle met de l'avant.

L'économie participative se veut donc une solution intellectuellement crédible et pratiquement viable, ne tombant en particulier dans aucun des pièges de la trop facile dénonciation moralisatrice à laquelle – on peut concéder aux auteurs – la gauche succombe trop souvent dans ses analyses et dans ses propositions économiques. Je citerai encore à ce propos Michael Albert :

> Sur le plan économique, à gauche, on arrive à dire des choses comme ceci : les gens dans

> ma société consomment beaucoup trop, c'est horrible pour telle ou telle raison – il faut donc abolir la consommation. Ou encore : les gens de ma société travaillent, il faut abolir le travail. Au lieu de reconnaître qu'il y a un certain nombre de fonctions qu'une économie doit accomplir : la question est alors de savoir comment le faire tout en respectant certaines valeurs désirables. Bien des écologistes vont dire, par exemple : « General Motors, c'est gros, donc tout ce qui est gros est mauvais. Il faut donc penser petit. » Mais ce n'est pas une analyse : c'est un réflexe. C'est faux, même d'un point de vue écologique. Les gens entendent ça et rigolent en se disant qu'on va aboutir à une société où on n'aura pas assez à manger. Avec raison. Il faut faire mieux [1].

Il serait présomptueux de prétendre rendre compte des tenants et des aboutissants d'une telle proposition en quelques pages. C'est pourquoi le présent texte se propose, plus modestement, de présenter succinctement quelques-unes des caractéristiques les plus remarquables du modèle, puis de fournir les informations qui permettront d'aller plus loin à qui souhaitera en savoir plus. Après un aperçu de ce modèle économique, je rappelle

1. Normand Baillargeon, « Michael Albert : l'autre économie », *loc. cit.*

quelques-unes des principales critiques adressées à ses auteurs ainsi que les arguments par lesquels ils ont répondu à ces attaques. Une bibliographie et une « internetographie » sont proposées en annexe dans l'espoir qu'elles aideront dans leurs premières démarches ceux et celles qui auront le désir d'en apprendre un peu plus.

Quels critères évaluatifs convient-il d'employer pour juger d'institutions économiques ? Avant de proposer leur propre modèle, Albert et Hahnel ont consacré un important travail à répondre à cette question [1]. Au terme de leurs analyses, ils proposent un modèle dit de « préférences endogènes » qui débouche sur une substantielle reformulation des critères évaluatifs habituellement retenus pour juger des économies. Pour aller rapidement à l'essentiel, rappelons qu'ils acceptent l'optimum de Pareto comme critère de l'efficience économique, mais qu'ils le relient à une conception des sujets conçus comme agents conscients et dont les préférences et caractéristiques sont susceptibles de se développer et de se préciser avec le temps. Cette définition de l'efficience est le premier critère évaluatif retenu.

1. M. Albert et R. Hahnel, *Quiet Revolution in Welfare Economics*, Princeton, PU Press, 1990 ; Normand Baillargeon, *ibid.*

Le deuxième est l'équité. La plupart des économistes retiennent également ce critère et l'Écopar reconnaît d'emblée qu'elle est une caractéristique désirable d'une économie[1]. Mais Albert et Hahnel rappellent aussi que quatre maximes distributives concurrentes, correspondant à quatre écoles de pensée également concurrentes, proposent autant de définitions de ce qui constitue l'équité. Les voici :

Maxime distributive 1 : Paiement selon la contribution de la personne ainsi que celle des propriétés qu'elle détient.

Maxime distributive 2 : Paiement selon la contribution personnelle.

Maxime distributive 3 : Paiement selon l'effort.

Maxime distributive 4 : Paiement selon le besoin.

La plupart des économistes, on le sait, adoptent les maximes 1 ou 2. Les anarchistes, quant à eux, ont maintes fois exprimé leur préférence pour la maxime 4. Tout en reconnaissant que c'est vers elle qu'il faut tendre, l'Écopar opte pour la maxime 3 et se construit donc à partir de l'idée de rémunération selon l'effort.

Le troisième critère évaluatif est l'autogestion (ce par quoi je propose de rendre ce

1. M. Albert et R. Hahnel, *ibid.*

que les auteurs nomment *self-management*). De longues analyses sont consacrées à cette propriété. Ici encore, pour aller rapidement à l'essentiel, disons simplement que les auteurs aboutissent à une définition de l'autogestion entendue comme le fait que la voix de chacun a de l'impact sur une décision à proportion de ce qu'il sera affecté par celle-ci. Albert et Hahnel tiennent avec raison cette définition de l'autogestion comme un des apports les plus originaux, novateurs et lourds d'impact de l'Écopar.

Le quatrième critère évaluatif est la solidarité, entendue comme la considération égale du bien-être des autres.

Le cinquième et dernier critère évaluatif est la variété, entendue comme diversité des résultats.

Armés de ces critères, demandons-nous ce qu'on peut penser des institutions économiques qui s'offrent à nous. Plus précisément, cherchons à déterminer dans quelle mesure des institutions d'allocation, de même que des institutions de production et de consommation, permettent – ou non – de s'approcher de ces valeurs désirables que nous venons de poser. Deux institutions allocatives s'offrent à notre examen : le marché et la planification centrale.

La critique du marché occupe une part importante du travail préalable accompli par les auteurs. Au terme de ce travail, ils concluent que, loin d'être cette institution socialement neutre et efficiente dont on vante parfois les mérites, le marché érode inexorablement la solidarité, valorise la compétition, pénalise la coopération, ne renseigne pas adéquatement sur les coûts et bénéfices sociaux des choix individuels (notamment par l'externalisation), suppose la hiérarchie du travail et alloue mal les ressources disponibles. Pour résumer plus simplement cette position à laquelle les auteurs aboutissent, voici ce que me déclarait Michael Albert, lors d'un récent entretien :

> Le marché, même à gauche, ne fait plus guère l'objet d'aucune critique, tant la propagande a réussi à convaincre tout un chacun de ses bienfaits. Je pense pour ma part que le marché est une des pires créations de l'humanité. Le marché est quelque chose dont la structure et la dynamique garantissent la création d'une longue série de maux, qui vont de l'aliénation à des attitudes et des comportements antisociaux en passant par une répartition injuste des richesses. Je suis donc un abolitionniste des marchés – même si je sais bien qu'ils ne disparaîtront pas demain – mais je le suis de la même manière que je suis un abolitionniste du racisme.

La planification centrale, comme institution d'allocation, ne passe guère mieux le test que lui font subir nos cinq critères évaluatifs. Pour qu'un système d'allocation par planification centrale soit efficient, on reconnaît généralement qu'il doit satisfaire à un certain nombre de contraintes préalables. En particulier, les décideurs doivent connaître et maîtriser l'information nécessaire pour effectuer les calculs permettant l'élaboration du plan et pouvoir imposer les incitatifs qui assureront que les agents économiques accompliront leurs tâches respectives. La plupart des économistes contemporains refusent d'accorder ces préalables et conviennent avec Von Mises et les néoclassiques que l'impossibilité de les concéder en théorie signe l'impossibilité pratique des économies de planification centrale.

Albert et Hahnel montrent, pour leur part, que même si on accorde ces improbables prémisses, de telles économies seront toujours inacceptables du point de vue des critères évaluatifs qu'ils proposent. Si le marché détruit systématiquement la solidarité, la planification centrale détruit systématiquement l'autogestion, empêche la détermination par chacun de préférences personnelles qui prennent en compte de manière raisonnable les conséquences sociales de ses choix. Au total, la planification centrale favorise la montée d'une classe de coordonnateurs en plus de produire de bien piètres résultats.

Si cette analyse est juste, ni le marché ni la planification centrale ne peuvent donner des résultats qui soient conformes aux critères évaluatifs avancés. Il faut donc inventer une nouvelle procédure d'allocation : ce que se propose justement l'Écopar.

Qu'en est-il à présent des institutions de consommation et de production ? Cette fois encore, c'est à la lumière des critères évaluatifs mis en avant par l'Écopar qu'il convient de les jauger, afin de décider si celles qui existent pourraient convenir à une économie participative.

La propriété privée est le premier candidat au titre d'institution de production. Dans son acception libérale, la liberté d'entreprendre et le droit de jouir sans entraves des fruits de son activité sont considérés conjointement comme étant fondamentaux – voire naturels, du moins dans les versions naturalistes du libéralisme. Cette liberté économique serait en outre au cœur des libertés politiques. Les critères évaluatifs que nous avons rappelés nous indiquent déjà que l'Écopar, optant pour une définition de la liberté économique entendue comme autogestion, refuse la propriété privée des moyens de production, qui mine à la fois cette autogestion, la solidarité et l'équité – dans la mesure où elle ne rémunère pas selon l'effort et adopte plutôt la première maxime distributive.

Enfin, au nom de l'équité et de la solidarité, une économie participative refusera aussi toute organisation hiérarchique du travail, fût-elle instaurée au sein de lieux de production qui seraient détenus collectivement. Reste à faire la preuve que la production peut demeurer efficiente tout en étant non hiérarchique – nous y reviendrons.

Terminons par un examen des institutions de consommation. Les économies existantes ne leur consacrent que très peu d'analyses et l'acceptation de caractéristiques hiérarchiques dans la production induit l'acceptation d'une consommation inégalitaire. Une économie participative proposera donc des institutions et des relations de consommation non hiérarchiques, permettant une participation équitable à la production.

Le problème de la production, tel qu'il se pose à une économie participative, est essentiellement d'assurer une démocratie participative dans les lieux de travail. Démocratie par laquelle sont exclues les relations hiérarchiques et respectés les critères évaluatifs mis de l'avant par une telle économie tout en assurant que chacun sera en mesure de prendre une part réelle et significative dans les prises de décision.

Cette fois encore, je suis contraint d'aller rapidement à l'essentiel, pour en arriver directement, par-delà l'argumentation qui y conduit, à l'idée de *Balanced Job Complex*, concept que je propose de rendre par « ensemble équilibré de tâches ». Il s'agit ici d'une des innovations majeures de l'Écopar.

La proposition est, au fond, fort simple. Au sein des lieux de production d'une Écopar, personne n'occupe à proprement parler un emploi, du moins au sens où ce terme est entendu d'ordinaire. Chacun s'occupe plutôt d'un ensemble de tâches, lequel est comparable, du point de vue de ses avantages, de ses inconvénients ainsi que de son impact sur la capacité de son titulaire à prendre part aux décisions du Conseil de travailleurs, à n'importe quel autre ensemble équilibré de tâches au sein de ce lieu de travail. De plus, tous les ensembles de tâches qui existent au sein d'une société fonctionnant selon l'Écopar seront globalement équilibrés et il arrivera même, pour ce faire, que des travailleurs aient à accomplir des tâches à l'extérieur de leur lieu de travail.

Les créateurs de l'Écopar consacrent beaucoup d'espace, d'énergie et d'ingéniosité à défendre cette idée, à montrer qu'il est non seulement souhaitable en théorie mais également possible en pratique d'équilibrer de la sorte les tâches de production qui sont accomplies au sein d'une économie. Plus précisément, leur argumentation tend à montrer que cette manière de faire est efficiente, équitable et assure le respect de valeurs préconisées – à commencer, bien évidemment, par l'autogestion, dont elle est une condition nécessaire. Deux arguments sont le plus souvent invoqués contre cette pratique. Je voudrais les rappeler ici afin de montrer comment y répondent les partisans de l'Écopar[1].

Selon un premier argument, s'il est plausible de penser, comme incite d'ailleurs à le faire une imposante littérature, que le fait de permettre aux travailleurs d'avoir un mot à dire sur leurs tâches accroît l'efficience du travail et sa désirabilité aux yeux de celui qui l'accomplit, la proposition de construire des ensembles équilibrés de tâches va bien au-delà et néglige deux éléments capitaux du problème : la rareté du talent ainsi que le coût social de la formation. Partant, cette proposition serait inefficiente. Cet argument est souvent appelé celui du « chirurgien qui change les draps des lits de son hôpital » – c'est sous cette forme qu'il est d'abord apparu.

Certes, le talent requis pour devenir chirurgien est sans aucun doute rare et le coût social de cette formation, élevé. Il y a donc bien

1. Je suis ici l'exposé de Michael Albert et Robin Hahnel, *The Political Economy of Participatory Economics*, *op. cit.*, p. 8 et suivantes.

une perte d'efficience à demander au chirurgien qu'il fasse autre chose que des opérations chirurgicales. Cependant, il est également vrai que la plupart des gens possèdent des talents socialement utiles et dont le développement implique un coût social. Une économie efficiente utilisera et développera ces talents de telle sorte que le coût social de l'accomplissement des tâches routinières et moins intéressantes dépendra peu de qui les réalise. Il ne s'ensuit donc pas des prémisses accordées que le fait pour un chirurgien de changer des draps présente un coût social global prohibitif.

Un autre argument couramment employé contre les ensembles équilibrés de tâches veut que la participation encouragée par cette procédure s'exercera au détriment de l'expertise et de la part prépondérante qui lui revient nécessairement dans la prise de décisions – en particulier si les sujets débattus sont complexes. En fait, l'Écopar ne nie aucunement le rôle de l'expertise. Mais si cette expertise est précieuse pour déterminer les conséquences des choix qui peuvent être faits, elle demeure muette quand il s'agit de déterminer quelles conséquences sont préférées et préférables. Si l'efficience suppose que des experts soient consultés sur la détermination des conséquences prévisibles des choix – en particulier lorsque ceux-ci sont difficiles à déterminer –, elle exige aussi que ceux qui auront à les subir fassent connaître leurs préférences.

Ce que de tels lieux de travail produiront sera déterminé par les demandes formulées par des Conseils de consommation. Chaque individu, famille ou unité appartient ainsi à un Conseil de consommation de quartier ; chacun de ces Conseils appartient à son tour à une fédération parmi d'autres, lesquelles sont réunies en structures de plus en plus englobantes et larges, jusqu'au Conseil national.

Le niveau de consommation de chacun sera déterminé par la troisième maxime distributive, à savoir le paiement selon l'effort, lequel est évalué par les collègues de travail.

De même, le mécanisme d'allocation consiste en une planification participative décentralisée. Des Conseils de travailleurs et des Conseils de consommateurs avancent des propositions et les révisent dans le cadre de ce processus qui a fait l'objet d'un travail considérable de la part des créateurs de l'Écopar, qui ont été jusqu'à en construire un modèle formel. Ils y font notamment usage de procédures itératives, proposent des règles de convergence et montrent comment des outils de communication comme les prix, la mesure du travail ainsi que des informations qualitatives peuvent être utilisés pour parvenir à un plan efficient et démocratique.

Albert et Hahnel considèrent en fait que « la spécification de cette procédure constitue (leur) plus importante contribution au développement d'une conception et d'une pratique économique libertaire et égalitaire [1] ».

Ces propositions ont été reçues, on le devine, diversement. Décidons que le moment est venu d'examiner quelques-unes des critiques qui leur ont été adressées.

Il est remarquable de noter que bon nombre de critiques, à la suite de la publication des ouvrages de Hahnel et Albert, ont renoncé à soutenir l'impossibilité technique d'une économie libertaire et participative pour tenter de faire plutôt la preuve qu'une telle économie n'était pas désirable. Parmi les nombreux arguments invoqués, j'en retiendrai trois [2].

Selon le premier, l'Écopar fait trop peu de cas de la liberté. Ces critiques reconnaissent que, dans une Écopar, chacun serait libre d'appartenir au Conseil de travailleurs de son choix, qui l'acceptera, ou de former un Conseil avec qui il le souhaite. Mais ils pensent néanmoins que l'Écopar sacrifie trop la liberté

1. Voir : Robin Hahnel, *The ABC's of Political Economy. A Modern Approach*, Londres-Sterling, Pluto Press, 2002.

2. Voir : Michael Albert et Robin Hahnel, « Socialism As It Was Always Meant To Be », *Review of Radical Political Economics*, vol. 24, n° 3-4, 1992.

personnelle à des fins moins importantes. Cet argument a reçu une formulation exemplaire chez un économiste socialiste bien connu, Tom Weisskopf, partisan d'un socialisme de marché. Selon lui, l'Écopar s'opposerait à son modèle de socialisme de marché, sur un plan éthique et philosophique. Le premier modèle permettrait d'atteindre les valeurs préconisées traditionnellement par la gauche (équité, démocratie, solidarité) tandis que le second incorporerait des valeurs « libertariennes » plus récemment apparues comme hautement désirables : liberté de choix, vie privée, développement des talents et aptitudes personnelles. Tout en rappelant que l'Écopar incorpore des structures permettant de préserver la vie privée et qu'il favorise un substantiel concept de liberté individuelle, il me semble qu'on doit convenir de situer le débat là où Weisskopf le place, à savoir sur un plan éthique et philosophique.

L'Écopar conçoit la liberté comme un concept éminemment social et impose des contraintes à la liberté individuelle qui découlent des valeurs qu'elle préconise. Un libertarien déplorera qu'il soit impossible d'y embaucher quelqu'un, comme il eut déploré qu'on ait mis fin à la possibilité pour un être humain d'en posséder un autre, brimant par là la liberté du propriétaire d'esclaves. Mais la difficulté et le problème soulevés par Weisskopf demeurent bien réels et méritent d'être profondément médités et débattus.

Pat Devine a fait valoir, pour sa part, que l'Écopar suppose qu'on consacrera un temps beaucoup trop important à des réunions. Cet argument est nettement plus facile à contrer. En fait, il suffit de faire remarquer que, dans nos économies, le temps consacré à des réunions (pour l'essentiel par les élites) est déjà tellement considérable que l'Écopar ne peut que le diminuer : elle le répartira plus équitablement en assurant que chacun prenne part aux décisions qui le concernent.

Un dernier argument veut que l'Écopar ne soit pas en mesure de motiver les acteurs du système de manière adéquate. Il faut bien reconnaître que l'Écopar, qui adopte la maxime distributive d'une rémunération selon l'effort, exclut d'emblée l'essentiel des incitatifs matériels auxquels nous sommes habitués et cherche à maximiser le potentiel motivateur des incitatifs non matériels. Cela dit, on peut penser que des tâches conçues par ceux qui les exécutent leur seront plus agréables que des tâches définies par un processus hiérarchique, et que le fait de savoir que chacun contribue équitablement à la production incitera à accomplir plus volontiers les tâches moins agréables d'un ensemble équilibré de tâches puisque chacun accomplira une somme similaire de tâches, moins agréables. De plus, l'évaluation de l'effort consenti effectuée par les pairs constitue bien un incitatif matériel puisqu'il détermine le niveau de consommation auquel chacun a droit. Mais il reste vrai que l'Écopar valorise des incitatifs auxquels on n'a jusqu'ici accordé que peu de valeur : le respect et l'estime d'autrui, la reconnaissance sociale. Le pari de l'Écopar, raisonnable à mes yeux, est que ceux-là seront plus efficaces encore que la recherche du profit.

Alec Nove, un économiste progressiste américain contemporain, formulait, dans les années 1980, la conclusion à laquelle, comme bien d'autres, il était arrivé :

> Dans une économie industrielle complexe, les interrelations entre ses diverses composantes ne peuvent, par définition, être fondées que sur des contrats librement négociés ou sur un système contraignant d'instructions émanant de bureaux de planification. Il n'y a pas de troisième voie.

La première option est, on l'aura deviné, celle du marché ; la seconde, celle de la planification centrale. C'est ainsi que la reconnaissance de la faillite de la planification centrale a amené tant de théoriciens à penser que le marché était désormais la seule institution économique possible, les progressistes devant se contenter de le socialiser ou d'en corriger les plus criants défauts – par exemple, par la propriété publique des entreprises.

On peut soutenir que toute l'ambition de l'Écopar est de montrer qu'il existe bien une troisième voie et que celle-ci est précisément l'avenue que les anarchistes ont particulièrement pressentie. Partant de là, l'Écopar s'efforce de prouver qu'elle est une solution de rechange crédible et pratiquement réalisable, notamment en répondant aux difficiles questions que ses prédécesseurs laissaient sans réponse : comment parvient-on à ces décisions qui doivent être prises ? Comment des procédures démocratiques peuvent-elles générer un plan cohérent et efficient ? Comment les producteurs sont-ils motivés ? Et ainsi de suite...

Il n'est pas certain, bien entendu, que les réponses de l'Écopar à ces questions soient les bonnes, théoriquement, ni qu'elles soient viables pratiquement. Mais, au moins, il y a des réponses. Ces réponses soulèvent à leur tour de nombreuses questions et de nombreux enjeux, philosophiques, politiques, sociologiques, anthropologiques. Un des grands mérites de l'imposant travail accompli par Albert et Hahnel est, à mes yeux, de permettre de les poser, souvent d'une manière neuve. Ainsi, l'Écopar contribue également à penser qu'un autre monde est possible, cela au moment où le fatalisme conformiste ambiant nous présente frauduleusement l'ordre des choses actuel comme étant nécessaire. Enfin, l'Écopar nous aide à préciser ce pour quoi nous luttons et à formuler des réponses à la question qu'inévitablement on pose à ceux qui luttent : « Mais en faveur de quoi êtes-vous donc ? »

Ces réponses sont-elles plausibles ? Ici encore, il y a amplement matière à débattre. Ce livre aurait accompli ce qu'il ambitionnait de réaliser si mon lecteur, ma lectrice, avait à présent envie, sinon de prendre part à ce débat, du moins de s'y intéresser.

Brève bibliographie et internetographie au sujet de l'Écopar

Quelques écrits de Albert et Hahnel

Albert, Michael, *Moving forward. Program for a Participatory Economy*, Londres, AK Press, 2001.

___ et Hahnel, Robin, *Unorthodox Marxism. An Essay on Capitalism, Socialism and Revolution*, Boston, South End Press, 1978.

___, *Marxism and Socialist Theory*, Boston, South End Press, 1981.

___, *Quiet Revolution in Welfare Economics*, Princeton, Princeton University Press, 1990.

—, *Looking Forward : Participatory Economics for the Twenty First Century*, Boston, South End Press, 1991.

—, *The Political Economy of Participatory Economics*, Princeton, Princeton University Press, 1991.

—, « Socialism As It Was Always Meant To Be », *Review of Radical Political Economics*, vol. 24, nº 3-4, 1992, p. 46-66.

—, « Participatory Planning », *Science and Society*, vol. 56, nº 1, printemps 1992.

HAHNEL, Robin, *The ABC's of Political Economy. A Modern Approach*, Londres-Sterling, Pluto Press, 2002.

DISCUSSIONS CRITIQUES DE L'ÉCOPAR

BAILLARGEON, Normand, « Michael Albert : l'autre économie », *Le Devoir*, 16 juin 1997, p. B1.

BOWLES, Sam, « What Markets Can and Cannot Do », *Challenge*, juillet/août 1991.

DEVINE, Pat, *Democracy and Economic Planning*, Boulder, Westview Press, 1988.

___, « Markets Socialism or Participatory Planning ? », *Review of Radical Political Economics*, vol. 24, n° 3-4, 1992.

FOLBRE, Nancy, « Contribution to "A Roundtable on Participatory Economics" », *Z Magazine*, juillet/août, 1991.

HAGAR, Mark, « Contribution to "A Roundtable on Participatory Economics" », *Z Magazine*, juillet/août, 1991.

MANDEL, William M, « Socialism : Feasibility and Reality », *Science and Society*, vol. 57, n° 3, automne 1993.

NOVE, Alec, *The Economics of Feasible Socialism Revisited*, Londres, Harper-Collins Academic, 1990.

SCHWEICKART, David, « Socialism, Democracy, Market, Planning : Putting the Pieces Together », *Review of Radical Political Economics*, vol. 24, n° 3-4, 1992, p. 29-45.

___, *Against Capitalism*, Cambridge, Cambridge University Press, 1993.

WEISSKOPF, Thomas, « Toward a Socialism for the Future in the Wake of the Demise of the Socialism of the Past », *Review of Radical Political Economics*, vol. 24, n° 3-4, 1992, p. 1-28.

Liens Internet

Le plus simple est d'aller d'abord sur le site Internet de *Z Magazine*, le mensuel animé par Michael Albert : www.zmag.org. On y trouvera une imposante sous-section consacrée à l'économie participative à : www.zcommunications.org/znet/topics/parecon. La théorie et les pratiques de l'Écopar y sont abondamment traitées et une quantité impressionnante de liens s'y trouve, permettant d'en connaître et d'en approfondir (presque) tous les aspects.

Sur ce même site Internet, on trouvera de très nombreux forums de discussion dont trois au moins permettent de discuter spécifiquement de l'Écopar : « AskAlbert », d'abord, où l'on peut débattre avec Michael Albert ; « ParEcon », ensuite, où de nombreux intervenants débattent de l'Écopar, de ses mérites et de ses défauts ; « DoingParecon », enfin, où s'échangent réflexions et expériences avec des gens œuvrant dans des lieux de travail qui implantent certaines (voire dans certains cas, la plupart) des caractéristiques de l'économie participative.

Table

Dans la collection « Instinct de liberté »

- Noam Chomsky, *Instinct de liberté*
- Noam Chomsky, *De l'espoir en l'avenir*
- Francis Dupuis-Déri, *Les Black Blocs*
- Noam Chomsky, *Un monde complètement surréel*
- Errico Malatesta, *L'anarchie*
- Normand Baillargeon, *L'ordre moins le pouvoir*
- Élisée Reclus, *L'évolution, la révolution et l'idéal anarchique*
- Normand Baillargeon, *Petit cours d'autodéfense intellectuelle*
- Normand Baillargeon, *Éducation et liberté. Anthologie, Tome I, 1793-1918*
- Norman Nawrocki, *L'anarchiste et le diable* (récits)
- David Graeber, *Pour une anthropologie anarchiste*
- John Holloway, *Changer le monde sans prendre le pouvoir*
- Mathieu Houle-Courcelles, *Sur les traces de l'anarchisme au Québec (1860-1960)*
- Daniel Bensaïd, *Les dépossédés*
- Voltairine de Cleyre, *D'espoir et de raison. Écrits d'une insoumise*
- Do or Die, *Bastions pirates*
- Howard Zinn, *La mentalité américaine. Au-delà de Barack Obama*
- Coco Fusco, *Petit manuel de torture à l'usage des femmes-soldats*

CET OUVRAGE A ÉTÉ IMPRIMÉ EN MAI 2010 SUR LES PRESSES DES ATELIERS DE L'IMPRIMERIE MARQUIS POUR LE COMPTE DE LUX, ÉDITEUR À L'ENSEIGNE D'UN CHIEN D'OR DE LÉGENDE DESSINÉ PAR ROBERT LAPALME

Il a été composé avec LaTeX, logiciel libre,
par Sébastien MENGIN

La révision du texte et la correction
des épreuves ont été réalisées
par Thomas DÉRI et Marie-Eve LAMY

Lux Éditeur
c.p. 129, succ. de Lorimier
Montréal, Qc H2H 1V0

Diffusion et distribution
Au Canada : Flammarion
En Europe : Harmonia Mundi

Imprimé au Québec
sur papier recyclé 100 % postconsommation